为《中华名人爱国故事选》题

继承爱国传统

弘扬民族精神

严济慈

中華名人愛國故事選（上）

ZHONGHUAMINGREN AIGUOGUSHIXUAN

韩其洲 主编

黑龙江少年儿童出版社

图书在版编目（CIP）数据

中华名人爱国故事选. 上 / 韩其洲主编. -- 哈尔滨: 黑龙江少年儿童出版社, 2016.7(2018.10重印)
ISBN 978-7-5319-4419-5

Ⅰ. ①中… Ⅱ. ①韩… Ⅲ. ①爱国主义教育—中国—少儿读物 Ⅳ. ①D647-49

中国版本图书馆CIP数据核字(2016)第116632号

中华名人爱国故事选(上)

韩其洲　主编

项目总监:张立新
统筹策划:顾吉霞　刘　嘉
责任编辑:顾吉霞　刘　嘉
插　　图:李秋红
封面设计:书意 书籍装帧设计 QQ:2450277745
责任印制:姜奇巍　杨亚玲
出版发行:黑龙江少年儿童出版社
　　　　(哈尔滨市南岗区宣庆小区8号楼　150090)
网　　址:www.lsbook.com.cn
经　　销:全国新华书店
印　　装:永清县晔盛亚胶印有限公司
开　　本:787mm×1092mm　1/16
印　　张:14
书　　号:ISBN 978-7-5319-4419-5
版　　次:2016年7月第1版
印　　次:2018年10月第2次印刷
定　　价:28.00元

序言

柳　斌

中华民族是富有爱国主义光荣传统的伟大民族。爱国主义是动员和鼓舞中国人民团结奋斗的一面旗帜，是推动我国社会历史前进的巨大力量，是各族人民共同的精神支柱。

习近平总书记指出：“实现中国梦必须弘扬中国精神。这就是以爱国主义为核心的民族精神，以改革创新为核心的时代精神。这种精神是凝心聚力的兴国之魂、强国之魂。”习总书记最近又强调要“在广大青少年中开展深入、持久、生动的爱国主义宣传教育，让爱国主义精神在广大青少年心中牢牢扎根，让广大青少年培养爱国之情、砥砺强国之志、实践报国之行，让爱国主义精神代代相传、发扬光大。”我们要深刻领会和贯彻落实习总书记的讲话精神，扎扎实实地把爱国主义教育落实到儿童和青少年当中去。

爱国主义是一个历史范畴，具有鲜明的时代特征。在社会发展的不同阶段、不同时期，有不同的具体内涵。历史上的爱国主义者，尽管受到时代和阶级的局限，表现出不同的思想和行动，但他们都不同程度地顺应了历史发展的潮流，或在一定程度上代表了历史发展的方向。他们为祖国的富强和人民的自由与幸福做出了自己的宝贵贡献。

特别应该指出的是，一部中国近现代革命运动史，同时也是一部中国近现代爱国运动史。爱国主义的强大精神力量，鼓舞和激励着全国各族人民，进行不屈不挠的革命斗争。我们尤其不能忘记的是，在日本侵略者悍然发动侵华战争的民族危难时刻，中华儿女冒着敌人的炮火同仇敌忾、共赴国难、浴血奋战、视死如归，奏响了一曲气壮山河的抗击日本侵略者的英雄凯歌，用生命和鲜血谱写了一首感天动地的抗击外敌入侵的壮丽史诗。那些为国捐躯的抗日英雄，永远活在我们的心中！

新中国成立后，在祖国的各条战线，同样涌现出了大批的爱国英雄和模范人物，他们为建设祖国和保卫祖国做出了杰出的贡献。特别是在改革开放新的历史时期，他们是践行爱国主义的标兵和楷模，为国家的社会主义现代化事业做出了非凡的业绩，值得我们学习和赞扬。

进行爱国主义教育，是践行社会主义核心价值观的重要内容。榜样的力量是无穷的。运用古代、近代和现代史上出现的许多杰出人物的爱国事迹，对青少年进行爱国主义教育，是一种很好的形式。黑龙江少年儿童出版社出版的这套书，讲述了中华民族古往今来百余位著名人物的爱国故事，情节生动，事迹感人，是对广大青少年进行爱国主义教育的好教材。

我们要从小做起，让儿童少年爱父母、重亲情、懂感恩，学会关心他人，立志报效祖国。大力加强爱家乡、爱人民、爱祖国的教育，通过敬国旗、唱国歌、爱母语，学习英模人物，继承历史文化传统；大力加强理想信念教育， 抵制错误腐朽思想，弘扬爱国主义、集体主义、社会主义理想；广泛开展民族精神教育，增强民族自尊心、自信心、自豪感，增进对伟大祖国和中华民族的认同；激励青少年把爱国热情化作振兴中华的实际行动；以热爱祖国和贡献自己全部力量建设祖国为最大光荣，以损害祖国利益和尊严为最大耻辱。把个人的成长成才融入到祖国和人民的伟大事业之中，以实际行动创造无愧于时代的辉煌业绩。

让我们更高举起爱国主义旗帜，为实现中华民族伟大复兴的中国梦阔步前行！

2016 年 6 月 3 日于北京

（柳斌同志：原国家教委副主任、党组副书记，原国家教委、教育部总督学）

目 录

卧薪尝胆　忍辱报国

——越王勾践的故事 …… 001

独立不迁　国之忠魂

——伟大诗人屈原的故事 …… 007

智斗秦王　完璧归赵

——赵国大臣蔺相如的故事 …… 012

老将请缨

——西汉大将赵充国的故事 …… 018

捐献家产　为国分忧

——爱国志士卜式的故事 …… 023

“为国立功，只能前进”

——外交家张骞的故事 …… 027

北海牧羊节不辱

——爱国英雄苏武的故事 …… 033

“昭君自有千秋在”

——西汉女杰王昭君的故事 …… 037

闻鸡起舞

——东晋名将祖逖的故事 …… 043

藏汉和亲传美名

——文成公主的故事 …………………………………………… 048

固守睢阳抗叛军

——唐朝将领张巡的故事 …………………………………… 052

诗圣著千秋

——大诗人杜甫的故事 ……………………………………… 056

所向无敌老将军

——宋初名将杨业的故事 …………………………………… 063

先天下之忧而忧

——政治家范仲淹的故事 …………………………………… 069

誓与邕州城共存亡

——爱国志士苏缄的故事 …………………………………… 074

祖宗疆土，当以死守

——宋代大臣李纲的故事 …………………………………… 078

孤忠悬白日　英雄万古冤

——著名将领岳飞的故事 …………………………………… 083

“但悲不见九州同”

——爱国诗人陆游的故事 …………………………………… 091

“男儿到死心如铁”

——著名词人辛弃疾的故事 ………………………………… 095

“留取丹心照汗青”

——文学家文天祥的故事 …………………………………… 100

誓死保卫北京城

——明朝名臣于谦的故事 …………………………………… 106

杀尽倭寇保海防
——军事家戚继光的故事 …… 112
爱我祖国山河美
——地理学家徐霞客的故事 …… 117
英雄血洒扬州城
——抗清名将史可法的故事 …… 122
英雄生死路，却似壮游时
——少年英雄夏完淳的故事 …… 127
杀父报国，收复台湾
——民族英雄郑成功的故事 …… 132
“也留正气在乾坤”
——抗清大臣张煌言的故事 …… 137
“天下兴亡，匹夫有责”
——思想家顾炎武的故事 …… 142
“生既须笃挚，死亦要精神”
——爱国名医傅青主的故事 …… 147
“辛苦事亲征”
——康熙皇帝的故事 …… 151
中国近代史的开篇
——民族英雄林则徐的故事 …… 156
虎门殉国
——爱国老将关天培的故事 …… 163
“忠义事大，此志断不可夺”
——蒙古族英雄裕谦的故事 …… 166

“竭力杀敌，以死报国”

——爱国名将葛云飞的故事 …… 170

“武臣卫国，死于疆场，幸也”

——清军老将陈化成的故事 …… 172

叱咤风云　名满天下

——“天王”洪秀全的故事 …… 176

小刀会大战侵略军

——小刀会首领刘丽川的故事 …… 182

舍命撞敌舰

——民族英雄邓世昌的故事 …… 186

引得春风度玉关

——清朝名将左宗棠的故事 …… 190

左将军血战玄武门

——民族英雄左宝贵的故事 …… 196

刘公岛上的不朽史诗

——海军名将丁汝昌的故事 …… 200

“要救国，只能靠我们自己”

——民族英雄徐骧的故事 …… 204

“万众一心谁敢侮”

——爱国诗人黄遵宪的故事 …… 208

后　记 …… 213

卧薪尝胆　忍辱报国

——越王勾践的故事

这个脍炙人口的故事，发生在公元前400多年的春秋战国之交。

会稽之耻

公元前496年，越王允常归西了。他的世仇吴王阖闾听说后喜出望外，以为机不可失，乘越君新丧，立即兴师攻打越国。越王允常的儿子勾践闻讯，在檇李布下严密的防线。

交战之前，吴军阵容整齐严肃，锐气正盛。越军派出的两批敢死队都被俘虏了。第三次，勾践派出了三行罪囚，一个个架利剑于颈，叫喊一阵后竟全部自刎，倒在吴军阵前。吴军正看得目瞪口呆，忽听勾践一声令下，顿时鼓声大作，吼声震天，越军以排山倒海之势掩杀过来。吴军遭此奇袭，全线崩溃。阖闾脚上吃了一戈，回到城里就奄奄一息了。临死前，他咬着牙叮嘱儿子夫差："千万不可忘记找越国报仇！"

三年很快就过去了。夫差任命伍子胥为大将，伯嚭为副将，准备率军征伐越国。勾践得到吴王夫差要出兵伐越的消息，召开了紧急会议，准备先发制人，兴师伐吴。大夫文种和范蠡劝阻，认为吴军来势凶猛，不如求和暂避锋芒。可是勾践却不以为然，认为吴、越本是世仇，不战求和，岂不让人耻笑。于是，吴越双方在夫椒对阵交战，越军果然十分被动，节节败退。勾践眼看抵挡不住，只得率残部退守会稽山。吴军紧追不舍，在四周布下了层层包围圈。

勾践非常后悔，问范蠡有何办法？范蠡建议派文种去吴国向夫差求和。文种拜见吴王夫差，说：“敝国的残军已经不用讨伐了。勾践愿意献上财宝，自己为臣，妻女为奴，不知意下如何？”夫差正想应允，伍子胥却在一旁谏道：“不可！吴、越乃世仇之国，如今老天把越国赐给吴国，国君必须把越国灭了。”夫差听罢，觉得言之有理，就拒绝了越王的请求。

忍辱负重

勾践听了文种的汇报，勃然大怒，准备杀妻焚宝，与吴军决一死战。文种劝道：“天无绝人之路。听说吴国的权臣伯嚭贪财好色，可以利诱，请准我秘密前往与他交涉。”勾践同意了。文种去见伯嚭，立即献上勾践赠送的奇珍异宝和八名美女，说：“如能帮助赦免敝国之罪，当有更为丰厚的礼物奉献。”伯嚭见到礼物，不免心动，于是就带文种去见吴王夫差。

文种向吴王夫差转述了勾践的请求，说：“请求大王赦免勾践之罪，越国就献上珍宝。如果大王不肯，勾践则要杀妻焚宝，五千将士一个顶俩，与吴决一死战。一是杀其人，一是得其国，大王看哪个有利呢？”这时，伯嚭也在一旁帮腔道：“听说古代的讨伐者，对手服输就算了。如今越国已经服了，还有什么好求的呢？”伍子胥一再反对，但夫差最终赦免了越国。不过作为人质，勾践夫妇必须到吴国住上几年。

勾践夫妇收拾停当，就和范蠡等人到吴国做人质。勾践自称东海贱臣，向吴王服罪，并向夫差和吴国众臣馈赠了带来的珍宝，从而博得吴国君臣的好感。勾践被指定住在阖闾墓旁的石屋里，专管马匹，打扫马厩。夫差不时派人暗中刺探，见勾践他们个个安分守己、毫无怨言，夫差也就一点点地放下心来。

三年后的一天，勾践听说夫差病了，就央求伯嚭带他前去探望。到了宫内，勾践刚跪下问候了几句，夫差却想大便了。左右臣仆都退出屋外，只有勾践不肯离开。他说：“君有病，即臣有病。我理应在跟前服侍大王。”夫差刚刚便毕，勾践立即上前掀开桶盖，又是观色，又是嗅味，似乎全然不知脏和臭。他突然转过身来，满脸笑容地向夫差祝贺道：“恭喜大王，贵体即将痊愈了。”夫差诧异地问：“何以见得？”勾践说：“下臣略懂医道，刚才已经观察过大王的大便了。”夫差听后深受感动，更加信赖勾践的忠心耿耿了。

几天以后，夫差的病好了。尽管伍子胥再三提出了“放虎归山，后患无穷”的警告，夫差还是把勾践放回了越国。

卧薪尝胆

勾践归心似箭，扬鞭催马，回到了日夜思念的越国。

勾践为了不忘会稽之耻，立即下令迁都会稽，并且给自己立下规矩：每餐只食一个荤菜，衣服只穿一种颜色，每日睡在一堆柴草上面。勾践还在屋子中间挂了一只苦涩的猪胆，每天醒来时第一眼就望着它；每次进食时第一口就尝它，并且高声自问：“勾践，你忘了会稽之耻吗？”

为了增强国家的实力，勾践主张开源节流，发展生产。他还下令十年不收国税，与民休息，使家家户户都有三年的余粮。他提倡“葬死者，问伤者，养生者；吊有忧，贺有喜；送往者，迎来者；去民之所恶，补民之不足”，目的是广揽人心，团结国民。

勾践鼓励生育，还下令厚待宾客，“四方之士来者，必庙礼之”，使名士能人“洁其居，美其服，饱其食”，然后与他们共同商议富国强兵的政策。

勾践让文种管理政事，范蠡训练军队，全国军民上下一致，发愤图强，艰苦奋斗。不几年，越国人丁兴旺、物资充足，国家实力增强。

为了使夫差相信越王对他忠心不渝，勾践年年进贡不断，贡品有增无减，还从苎罗山觅到美女西施，把她和另一个佳人郑旦一起送给夫差。听说夫差要改建姑苏台，勾践立即派文种送去又长又粗的上等木料。夫差大喜，下令按料改建，增派劳役，花了八年才建成。还有一次，勾践让文种借口灾情严重，向吴国借了一万石粮食。第二年，拣了一万石颗大粒满的粮食，煮熟晒干后还给吴国。夫差下令用这批粮食作为种子，结果上了当，闹了个大荒年，一片民怨沸腾。这时，报仇心切的勾践跃跃欲试，但范蠡、文种却认为时机未到。

过了两年，夫差想兴兵伐齐。伍子胥表示反对，他认为勾践卧薪尝胆、图谋报复，这才是吴国的心腹之患。夫差不予理睬。伐齐告捷，勾践赶来道喜，凯旋的夫差特地赏给他一块封地。伍子胥见了又是怪话连篇，夫差听了极为扫兴。伯嚭向来与伍子胥不合，便乘机进谗中伤。后来，伍子胥出使齐国，把自己的儿子改姓王孙氏，托付给一位齐国的大臣抚养。夫差知道后十分恼怒，于是派人赐他一柄宝剑自杀。伍子胥临死前，对左右的随从说："我死了以后，请把我的眼珠挖下来挂在东门的城楼上，我要亲眼看见越王的军队开进国都。"伍子胥死后，伯嚭继任为太宰。

东山再起

公元前 482 年，夫差带着不少精兵前往黄池，与晋、鲁等国的诸侯会盟争霸。勾践见时机成熟，便毅然决定伐吴，统帅五万大军，直捣吴都。出发之前，他再三强调："我不提倡匹夫之勇，主张同进共退。进则思赏，退则思刑。"于是，国人纷纷相互勉励，父勉其子，兄勉其弟，妇勉其夫。他们说："哪个国君能与我们的国君相比呢？你能不拼死杀敌吗？"

蓄之既久，其发必速。越军士气高昂，势如破竹。六月十二日起兵，二十三日就一举攻入吴都姑苏。正在黄池参加会盟的夫差听到这个消息，犹如晴天霹雳。为了封锁消息，他一连杀了七个赶来报信的人。吴军远道回救，被越军大败。夫差只得派人带着厚礼赴越求和。勾践自度力薄，尚不足以灭吴，于是就同意了。

又过了四年，吴国的国力在与齐、晋争夺霸业的交战中削弱了，百姓疲惫，元气大伤。此时的越国经过养精蓄锐，国力强盛。勾践分析了吴、越双方的力量，决定再次兴兵伐吴。两军在笠泽隔水对阵。勾践趁着夜深人静，派出两队人马，一左一右趁黑潜入敌侧，突然擂鼓呐喊，佯作夜袭。夫差中计，只得分兵防备。正在这时，勾践已经率兵偷渡过江，突袭吴的中军大营。吴军出乎意料，顿时乱作一团，不久就兵败如山倒了。

吴军在阳山被越军围困了三年。太宰伯嚭以为与越王素有旧交，首先投降。夫差走投无路，也只得派出使臣公孙雄赤裸上身，屈膝求和。范蠡建议越王吩咐来使回去传言夫差：“会稽之事，是老天把越赐给吴，而吴不受天命；如今是老天把吴赐给越，越怎么可以违逆天命呢？”并提出议和的条件，是让吴王到甬东的海岛上去居住，当个100户的君主。

吴王夫差听了喟然长叹：“我已经年老了，怎能再听勾践的摆布!”他万分后悔当初不听伍子胥的忠告，自知今天的颓势已不可挽回了。最后他说：“我实在没脸面见伍子胥啊!”说罢，拔剑往脖子上狠心一抹，含恨自尽了。

公元前476年，越王勾践终于征服吴国，坐在昔日夫差的金殿之上，接受文武百官的朝贺。忽然，他瞥见伯嚭也自鸣得意地站在一边等着受封，便冷言说道：“你是吴国的宰相，我怎敢收你为臣子呢？你还是到阳山陪你的国君去吧!”伯嚭讨了个没趣，垂头丧气地退了出去，后来被勾践的武士杀了。

勾践灭了吴国之后，又统帅大军北渡淮河，在徐州与齐、晋等国会盟中原诸侯，向周天子进贡。周天子也派使者赠与勾践祭肉，封其为伯，承认了他在东方的地位。

从此，勾践独步江淮，终于把越国建成了雄踞中原的强国。

（选自《中国古代爱国者的故事》，作者刘洪）

勾践（约公元前520年—公元前465年），春秋末年越国国君。曾败于吴国，后卧薪尝胆，最终灭亡吴国，于徐州大会诸侯，成为霸主。1965年出土了“越王勾践剑”，现存湖北省博物馆。

独立不迁　国之忠魂

——伟大诗人屈原的故事

公元前278年农历五月初五，一位面容憔悴的老者，惆怅地站在汨罗江边。面对滔滔江水，想到祖国将要沦亡，他毕生救国救民的理想即将破灭，他绝望的脸上泪如雨下，口里哀吟着不久前写的《怀沙》这首悲歌(译文)：

需要去死，就不要避让，
爱生恶死是人之常情，
但为了真理，
绝不应吝惜自己的生命。
杀身成仁的贤明君子啊!
向你申明我的心意，
我就要将这种认识付诸实践，
效法你们树立的榜样。

歌罢，他忽地怀抱一块沉重的石头，投身于滚滚激流……

江上渔翁唤来周围群众，争先恐后地驾着轻舟划去投水地点营救，但踪迹全无。

他是谁？他就是我国历史上第一位伟大的爱国诗人，蒙冤忍辱不奔他国，对祖国忠贞不二的思想家、政治家——屈原。

屈原对养育了自己的祖国有着深厚的感情和无限的忠诚。他 26 岁写的诗歌《橘颂》，就是一篇忠于祖国的旦旦誓言。“后皇嘉树，橘徕服兮。受命不迁，生南国兮。深固难徙，更壹志兮。”屈原认为橘树是天地间最值得赞颂的树，因为它生在楚国 (屈原的祖国)，岁寒不凋，色彩鲜丽，根深蒂固，不能搬迁，是那样坚定专一、纯洁美好。因此，他以“橘”作歌，托物言志，寄托了他对乡土、对祖国的无限挚爱和依恋之情，表达了他的高洁志向，抒发了他对祖国忠贞不贰的感情。

屈原博学多才，熟悉各国形势，有远大的政治抱负，“明于治乱，娴于辞令”，懂得治国安邦的道理。20 岁的时候，也就是楚怀王早期政治比较开明的时候，他就被起用，参加朝政，不久提升为地位仅次于令尹 (楚国的宰相叫令尹) 的“左徒”。这时屈原“入则与王图议国事，以出号令；出则接遇宾客，应对诸侯”，得到了楚怀王的重用，担负了楚国许多内政、外交的重要工作。

屈原生活在战国中后期，齐、楚、燕、赵、韩、魏、秦七国争雄的形势已经发生了很大变化，由分裂走向统一已成为历史发展的必然趋势。而最有条件去完成统一大业的只有秦、楚、齐三国。楚国当时已发展成为北接中原、南抵苍梧、西连黔滇、东达海滨的土地最广、人口最多的大国，兵力也有上百万，具备统一多民族国家的一定条件。但是楚国的封建制度改革很不彻底，加上楚怀王任用了一批佞臣参与国政，顽固保守势力比较强大。而秦国当时经过商鞅变法，长期推行富国强兵的政策，实力雄厚。因此，秦楚相争，楚居劣势。热爱祖国的屈原时任“左徒”，希望通过辅佐楚怀王使楚国强大起来。他主张对外联齐抗秦，内修政治，举贤任能，建立法度，富国强兵，进而使自己的祖国完成统一中国的历史使命。

屈原的政治改革主张开始时得到了楚怀王的支持，但不可避免地遭到了楚怀王周围守旧派们的激烈反对，他们搬弄是非，捏造罪名，挑拨离间，终于煽惑楚怀王疏远了屈原，并免除了他的“左徒”职务。秦国见屈原被贬，有机可乘，立即派宰相张仪到楚国，贿赂上官大夫和楚怀王的幼子子兰等人，以秦割地给楚为诱饵，使楚国跟齐国绝交。后来秦国毁约，楚怀王上当受骗，非常恼怒，又对秦发动战争，结果损兵失地。这时屈原虽然身处逆境，却并不计较个人得失，为了祖国的利益，他披肝沥胆地劝告楚怀王，欣然受楚怀王之命出使齐国，重修楚、齐友好。可是由于秦国重金贿赂守旧派，有功于楚国的屈原又一次遭受守旧派的打击与排斥，并被放逐到远离郢都的汉北 (今湖北江陵一带)。在此期间，楚国连续遭到各国围攻，国力日衰，楚怀王只好又把屈原召回，但他并没有得到重用。

身处逆境的屈原对祖国还是满怀信心的，楚国将士在卫国战争中的勇敢战斗精神给了他力量，让他看到了楚国的希望。他写的《国殇》就是一首歌颂楚军将士为国献身的高贵品质的诗歌。他像将士们那样英武不屈，始终坚持自己的政治主张，盼望着楚怀王重新任用他来治理国家。但是昏庸的楚怀王不听他的忠言劝告，于公元前 299 年被诱入秦，不久就死在了秦国。楚国继位的顷襄王继续执行亲秦政策，把屈原削职流放到更偏远的江南。这时的楚国更是江河日下，民生日蹙。

屈原再次遭到流放，十分悲伤。他在江南风萍浪迹了 9 年，最后漂泊到长沙附近的汨罗江边。在此期间，他广泛接触了人民群众，了解了人民的疾苦。而这时的楚国也由一个颇有希望的国家，衰败到了濒临危亡的绝境。屈原忧国忧民的心情更加激烈，怀着这种感情，他写下了许多诗作，抒发了他的爱国思想，其中最著名的诗作就是《离骚》。这首诗歌是屈原一生中最有代表性的抒情长诗，也是中国文学史上照耀千古的杰作。在诗中他一再申述自己的远大理想，揭露楚国腐朽黑暗势力的丑恶嘴脸，表达了他坚持真理、嫉恶如仇的精神，倾吐了他对祖国美好河山的赞美和眷念，抒发了他对祖国对人民真挚的爱。

顷襄王二十一年（公元前278年）二月，秦将白起攻陷楚国的国都郢(今湖北江陵)。白起长驱直入，楚国再无实力与秦国抗衡了。正当国亡民散的时候，屈原逃离郢都，浮江东下。他悲痛地写下了《哀郢》一诗，再次表明自己与祖国血肉相连、生死与共的眷恋之情。

楚国亡在旦夕，屈原的理想破灭了，身体也衰弱了。在绝望中，他仍不屈服，宁愿葬身鱼腹，也决不离开自己的祖国，于五月初五自沉于汨罗江。

屈原爱祖国，祖国人民爱屈原，后世人民于屈原投江的五月初五那天划龙船、吃粽子，永远地纪念他。不但中国人民纪念他，世界人民也纪念他。屈原是1953年世界和平理事会所纪念的世界四大文化名人之一。他的作品被译成英、法、意、日、德、俄等国文字，这是中华民族的骄傲。屈原的爱国思想留给后世的影响很大，李白、杜甫的诗歌中就闪耀着他的爱国精神。当遇到民族压迫的时候，许多诗人都深受屈原精神的感召，写出了不少慷慨激昂的爱国诗，鼓舞人们去战斗。在新民主主义革命时期，当蒋介石掀起第二次反共高潮，借以向日本帝国主义投降的时候，郭沫若把屈原的事迹写成剧本，用屈原的爱国主义精神教育人民，打击反动势力，收到了显著的政治效果。事实证明，屈原的爱国主义精神是中华民族的优良传统之一。

（选自《华夏之声》，陈家经等编著）

屈原（约公元前340年—约公元前278年），我国最早的爱国诗人，战国楚人。初辅佐楚怀王，在同守旧派子兰、靳尚等人的斗争中遭谗去职，后被放逐，但仍对楚国怀有深情。在无力挽救楚国危亡、政治理想无法实现时，投汨罗江而死。著有《离骚》《九章》《天问》等。

智斗秦王 完璧归赵

——赵国大臣蔺相如的故事

远在2000多年前的战国时代，赵国的惠文王得到了一块闻名天下的瑰宝——“和氏璧”。

当时赵国西邻秦国，秦国强盛，赵国弱小。秦昭襄王凭着本国的强大，想把“和氏璧”从赵惠文王的手中夺过来。但又找不到攻打赵国的借口，他想来想去便想到一条计策：立即写信给赵惠文王，说他愿意用15座城池换取“和氏璧”，望赵王应允。

赵惠文王接到秦昭襄王的信后，感到左右为难。他知道秦昭襄王用15座城池交换是假，想白白地夺走“和氏璧”是真。如果不答应交换，秦国就会以此为借口出兵攻打赵国，赵国人民都将遭殃；如果答应了，秦国拿走“和氏璧”，拒不交出15座城池，岂不有失赵国的尊严？赵惠文王左思右想，想不出一个万全之策来。

这时，一位宦官向赵惠文王推荐他的门客蔺相如，说他为人机智，勇敢而多谋。赵惠文王立即召见蔺相如，问道：“秦王想拿15座城来换取‘和氏璧’，你认为怎么办才好？”

蔺相如想了想说：“秦王想得到的是整个赵国。交换‘和氏璧’，只是对赵国的一种试探。他要试探我们，是屈从于秦国，还是有自立的决心。”

赵惠文王听后，觉得很有道理，便进一步问道：“依先生之见，眼下应该怎么办呢?”

蔺相如说：“我看可以将计就计，派人将‘和氏璧’送给他。如果大王不送‘和氏璧’，他就有了攻赵的借口；如果大王答应，秦王不给15座城池，那他就理亏了。这样，他就担负了不讲信用的责任，天下人都知道秦王是一个不讲信用的人了。那时候，我们再把‘和氏璧’拿回来，就可以挫败秦王并吞赵国的野心。”

赵惠文王连连点头，并说：“你的意见很好。但有谁愿意担这风险，带着‘和氏璧’去见秦王呢?”

蔺相如满有信心地说：“要是大王相信我，我愿意带着‘和氏璧’去见秦王。秦王如果真的拿15座城池来交换，我就把‘和氏璧’留在那里，如果秦王不肯拿15座城池来交换，那么我一定把‘和氏璧’完好地带回赵国来。”

赵惠文王非常高兴，立即任命蔺相如为使臣，让他带着“和氏璧”出使秦国。

蔺相如来到秦国的国都咸阳，秦昭襄王在章台宫接见了蔺相如。蔺相如和他的随从人员来到章台宫，只见殿上文武官员及秦王的妃嫔、舞女在那里嘻嘻哈哈，并不把蔺相如当国宾看待。蔺相如并不动怒，仍然恭恭敬敬地捧着“和氏璧”献给秦昭襄王。

秦昭襄王接过“和氏璧”就说：“哈!你们赵王真够朋友，我只说了一声，他就马上送来了。”他随手将“和氏璧”递给他的妃嫔们观赏，满殿的欢笑声好像是在说：秦国胜利了，赵国屈服了!

站在一旁冷眼观看的蔺相如料定秦昭襄王是不会交出15座城池的。

便不慌不忙地说："这块璧玉虽然好，但也美中不足，上面还有些瑕疵。若大王想知道的话，我可以把它指给大王看。"

秦昭襄王信以为真，便把"和氏璧"递给蔺相如，叫他指出瑕疵在哪里。

蔺相如一接过"和氏璧"便急忙往后退几步，身子靠着殿堂上的柱子，瞪着眼睛对秦昭襄王说："当初大王写信给赵王说，情愿用15座城池来换这块玉石。我国的文武官员都说，秦国的国君没有一个守信用的，因而不同意把'和氏璧'送来。但我想，普通的平民百姓都还讲交情，何况堂堂的秦国国君呢？在我尽力说服之后，我们的赵王才同意秦王的请求。赵王在宫里斋戒5天，用香汤洗过澡，然后才在殿上举行隆重的仪式，把国书和'和氏璧'交给我，派我专程送来的。万万料想不到，到了秦国会出现这样的情况：我作为赵国的使者，大王不在正殿上接见我，而是在同宫女们嬉闹的偏殿上接见我，显然是不以国宾之礼相待。我献上国书和'和氏璧'时，你傲慢而随便地把珍贵的'和氏璧'给你的妃嫔们传看，这分明是有意戏弄赵国的使者，是对赵国的不尊重。而你们传看了半天，却只字不提用15座城池相交换的事。好像我们赵国是你们的附属国，是来向你们进贡似的，我看不出大王有半点儿诚意。现在，我把'和氏璧'拿回来，如果大王逼我交出'和氏璧'，我就抱着它撞死在这根柱子上!"说着，他举起"和氏璧"，准备向柱子撞去。

秦昭襄王见此情景，脸色都变了，他怕蔺相如真的砸坏"和氏璧"，连忙赔不是，并叫人拿出地图来，指着地图说："这个，这个……统统给赵国!"蔺相如根本不相信秦昭襄王的话，他对秦昭襄王说："如果大王真有诚意，就应该像赵王那样斋戒5日，然后在正殿上举行交换仪式。这才对得起赵国对贵国的尊重!"

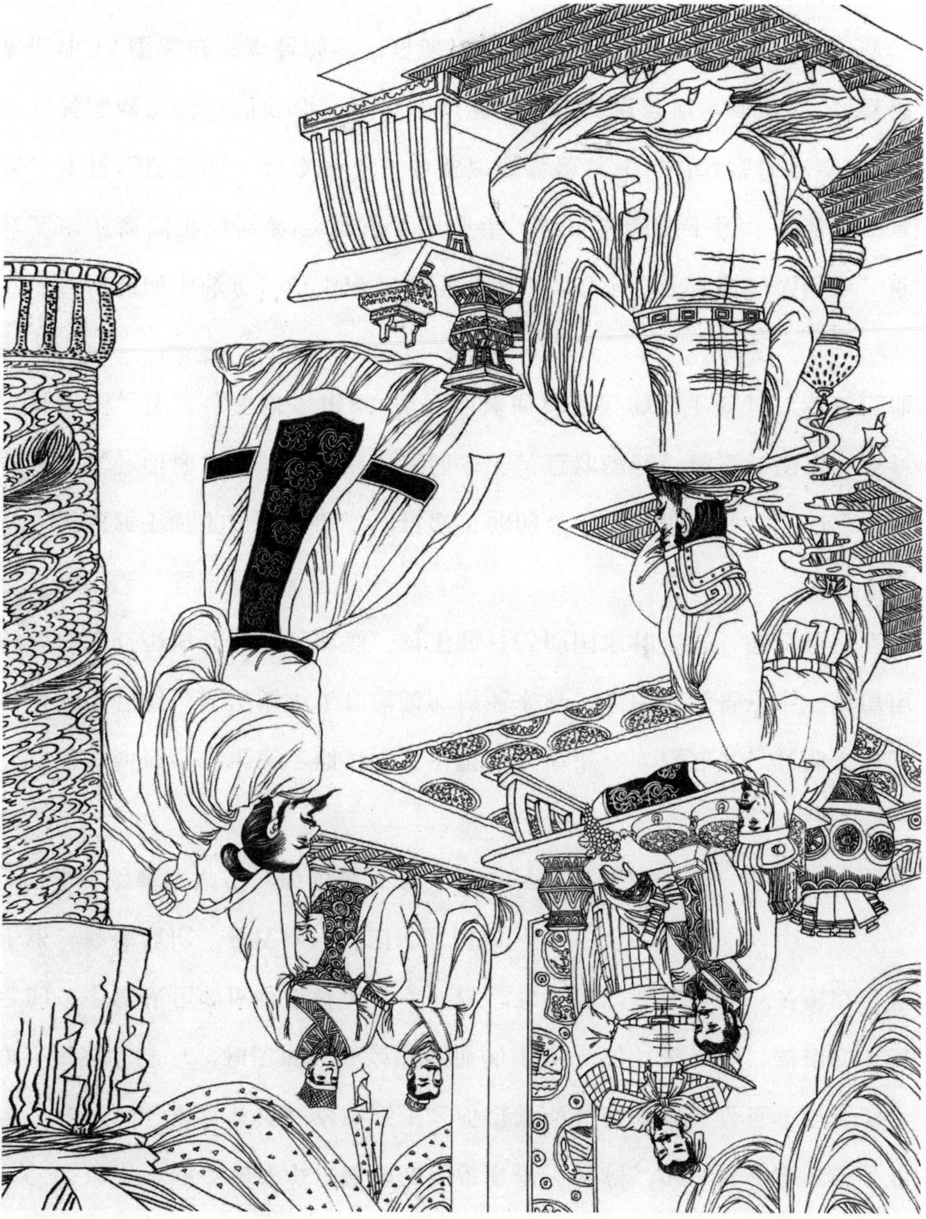

秦昭襄王见“和氏璧”仍在蔺相如手上，看来强取硬夺是不行的了。只好答应蔺相如的要求，斋戒5日，然后在正殿上举行交换仪式。

经过第一回合的斗争，蔺相如初步取得了胜利，但危机并没有完全化解。蔺相如心里盘算道：秦昭襄王之所以答应我的要求，是见我在他的手里。5天以后，“和氏璧”还会落到他的手中。到了第4天，蔺相如派自己的一个随从化装成老百姓的样子，把“和氏璧”藏在身上，天黑以后抄小路，偷偷地把“和氏璧”送回了赵国。

5日斋戒完毕后，秦昭襄王在正殿举行了隆重的仪式，请蔺相如上殿献宝。

蔺相如神色镇定地走到秦昭襄王跟前，说道：“这几天，我翻来覆去地想一个问题，从历史事实和现实的情况来看，秦国确实是一个不守信用的国家。我很怕受大王的欺骗，对不起自己的国家和人民，所以我已派人将‘和氏璧’送回赵国去了。”

秦昭襄王听了，大怒道：“我依了你的要求，斋戒了5日，约定今天举行仪式，而你却把‘和氏璧’送回去了，是你骗我，还是我骗你？是我不讲信用，还是你不讲信用？”他气呼呼地对身旁的卫士说：“给我把他绑了!”

蔺相如面不改色，心不跳，把手一扬：“住手! 在秦国的朝廷上，谁敢无理绑架别国的使者!”然后上前一步，逼近秦昭襄王说：“请大王息怒，让我把话讲完。当今天下，谁都知道秦强赵弱，只有强国欺负弱国，哪有弱国欺负强国的道理。我想，如果大王真的要换取‘和氏璧’，就请先把那15座池城割给赵国，然后派使者同我一起到赵国去取‘和氏璧’，赵国不会不讲信用、欺骗大王的。”

蔺相如的这番话无情地揭露了秦昭襄王的阴谋。秦昭襄王冷静一想：

如今“和氏璧”已经送回了赵国，现在就算把蔺相如杀掉，也仍然得不到“和氏璧”，反而会引起各国的不满。倒不如趁此机会好好款待他，放他回去，以此挽回秦国的声誉。

秦昭襄王改变了态度，恭恭敬敬地招待了蔺相如一番，然后将他送回了赵国。

机智勇敢的蔺相如维护了赵国的尊严，出色地完成了“完璧归赵”的光荣任务。自此以后，秦国好多年都不敢对赵国轻举妄动。

（选自《爱国人物故事选》，作者苏长仙）

蔺相如，战国时赵国大臣。自告奋勇出使秦国，出色地完成了“完璧归赵”的任务，维护了赵国的利益和尊严。后来升为上卿，位在大将军廉颇之上。因蔺相如与之和睦共事，促成赵国的内部团结，使秦国不敢欺侮赵国，世称“将相和”。

老将请缨

——西汉大将赵充国的故事

汉朝时，有一位70多岁的老将军，他就是经历了武帝、昭帝、宣帝三代，在保卫祖国边疆和建设边疆中屡建大功的后将军赵充国。

身经百战

汉武帝年间，赵充国曾以假司马的身份参加贰师将军李广利对匈奴的战争。在一次激烈的战斗中，汉军失利，被匈奴骑兵包围，粮食俱尽，死伤众多。统率这次军事行动的李广利是汉武帝的小舅子。他面临如此困境，一筹莫展，急令汉军突围。赵充国临危不惧，率领几百名战士溃围陷阵，为李广利突围开路。在战斗中，赵充国全身上下受了二十几处刀箭伤，终于突围成功。李广利死里逃生，对赵充国感恩不尽。他在给汉武帝的奏状中表彰了赵充国的功勋。汉武帝读了奏状，亲自召见赵充国，命赵充国解开战袍，看到他全身上下伤痕累累，嗟叹不已，感慨地说："真将军也!"立即拜赵充国为中郎将，迁升车骑将军长史。

赵充国就这样以他的勇敢善战威震匈奴，他在抗击匈奴的战争中屡建奇功。有一次，匈奴准备再次入扰，听说赵充国率领4万骑兵屯兵以待，匈奴单于不由得大惊，立即引兵退去。

老将请缨

汉朝的边患，除了北方的匈奴外，还有分布在西海（今青海一带）的羌人。

公元前 61 年春，汉宣帝为解决西羌问题，问御史大夫丙吉谁能够担当将军职务？当时赵充国已 76 岁，他听到这消息，就自我推荐说："没有人能够超过老臣的！"汉宣帝想不到赵充国这么大年纪还壮心不已，就派人问他："将军考虑如何对待羌人？要用多少人？"赵充国进宫当面向皇帝请缨："百闻不如一见。军情是不能在远方来作出判断的。臣愿亲至金城郡，察其地形，考虑攻讨方略。陛下不必担忧，尽可以把此事委托给老臣。"汉宣帝看到赵充国须发皆白，步履都有些蹒跚，但说话沉着，似乎胸有成竹，就笑笑说："好吧！"

赵充国到了金城郡。他采取了谨慎的态度，没有采取以前将领的屠杀政策，也不轻易同羌人交战，"行必为战备，止必坚营壁"。他为人持重，对士卒尤为爱护，汉军士气很高。按理说，赵充国正可趁士气高涨，与羌人大战一场，但他并没有轻举妄动。

汉宣帝却急于用兵，他下令调集全国各地 6 万兵马，准备和羌人大战。酒泉太守辛武贤趁机给汉宣帝上书，要求立即发动攻势："大兵仍出，虏必震坏。"由于这封奏书正中汉宣帝下怀，奏书立即转给赵充国。赵充国接到奏书，认为这样做对兵事不利。数万汉军携带大量辎重、粮草，难以追逐敌人。万一敌人断了汉军粮道，那就要陷入绝境。他把自己的意见上书给汉宣帝，尖锐地批评辛武贤的奏书是说大话，"非至计也"。但是赵充国的合理意见没有被采纳，反而受到了汉宣帝的批评。汉宣帝命令他："将军急装，因天时，诛不义，万下必全，勿复有疑！"

对敌情了如指掌的赵充国，面对汉宣帝措辞严厉的诏书，怎么办呢？

他想，既然作为受命用兵在外的大将，就不能不对国家和士兵的命运负责。他决定坚持自己的意见，再次上书陈述利害关系。在奏书中，他诚恳又坚决地写道：“臣已位至上卿，封为列侯，今年已经76岁了，对死还有什么顾虑？但是臣想到的是用兵的成败，以逸待劳才是取胜之道。”他详细地分析敌我双方的形势，提出必须首先分化敌军的关系才能获胜。这封措辞恳切、说理透彻的奏书，终于说服了求胜心切的汉宣帝。不久，汉宣帝就下玺书表示同意赵充国的意见。

上《屯田奏》

赵充国率领大军来到先零羌的所在地，这以逸待劳的战术取得了成功。先零羌见汉军来到，弃了辎重，败渡湟水。赵充国率领大军徐徐前进，并不迫逼。有个将军建议趁敌人败退湟水，一举歼敌。赵充国说：“穷寇不可追。当前情况下，我们如果急迫，他们会拼命的。”按照赵充国的策略，汉军果然不费大力而获全胜。汉军进入羌人所在地，赵充国又下令部队不许放火烧羌人民居和牧草之地。这些正确的政策，使羌人首领靡忘大为感动。汉军不费一兵一卒就招降了羌人。

秋天到了，草原的牧草一片枯黄。76岁的赵充国鞍马劳顿，也病倒了。他脚胫受了风寒，又因饮食不周，连日腹泻。汉宣帝下诏向他表示慰问。汉宣帝担心赵老将军万一病重不起，羌人怎么处理？于是他派了一位“破羌将军”做赵充国的副手，命令赵充国一定要在十二月击破先零羌。汉宣帝的急于求成使病中的赵充国焦虑万分，他深知不从实际出发，一味蛮干，必定坏事。部下劝慰他：“老将军重病在身，何必与陛下力争？一旦触怒了陛下，反招来训斥，又何必呢！”赵充国在病榻上长叹一声说：“失之毫厘，差之千里。按我的意见做，才有了今日。一旦策略错误，将来就不可收拾了！我相信既是英明的君主，那一定能够听得进我的忠言。”

在秋风萧瑟的军帐中，赵充国不顾重病在身，执笔写下了著名的《屯田奏》。在这篇体现战略战术思想的文章中，他朴实而深刻地说明了用兵“不可不慎”，分析了羌人“易以计破，难用兵碎”的道理，提出了留兵屯田、耕战两利的策略。汉宣帝终于被这位老将军的赤胆忠心和实事求是的态度所说服，请他提出留兵屯田的具体方案。赵充国早有筹划，他马上向宣帝上奏“不出兵留田便宜十二事”，逐条分析了留兵屯田、耕战两利的优点。赵充国在奏书的最后总结说：“留屯田得十二便，出兵失十二利。”以后，他又多次上书，说明“屯田内有无费之利，外有守御之备”的好处，陈述了“以逸待劳，兵之利者”的原则。

汉宣帝每次接到赵充国的上书，都把他的意见交大臣们讨论。开始，同意赵充国意见的只有二三人，后来有一半人赞成，最后十之八九都支持他的意见。汉宣帝问大臣们：“你们为什么前后说法不一？”丞相魏相回答说：“臣等不懂兵事利害，后将军说得句句在理，故臣等相信他的意见是行得通的。”汉宣帝也终于同意了赵充国的屯田计划，下诏书说：“将军的意见好，听将军的。希望将军多吃饭，慎于兵事，多加保重!”

赵充国屯田守边的策略完全成功了，事实证明他的意见是正确的。大批羌人归顺汉朝，西部边境暂时平息了。

刻画记功

赵充国戎马生涯几十年，在古稀之年他还有什么可求的呢？他只希望“乞骸骨”于故乡。他的一生已经贡献给了汉朝的防御战争，对维护国家安全、保障生产起了很大的作用。汉宣帝为表彰他的功绩，赐给他安车驷马，让他回乡养老。但是朝廷每有涉及边疆民族的重要大事，还是请他参与商讨，发表意见。公元前 52 年，赵充国辞世。

为纪念赵充国屯田戍边的功勋，汉宣帝特命把他的画像挂在未央宫中的麒麟阁上。汉成帝时，西羌又有警报。汉成帝又想到了老将军赵充国，特命著名文学家扬雄为赵充国的画像题写了一篇颂词，追念赵充国在边疆屯田戍边的功绩。其中写道：

在汉中兴，充国作武，

赳赳桓桓，亦绍厥后。

（选自《中国古代爱国者的故事》，作者刘修明）

赵充国（公元前137年—公元前52年），西汉著名将领。陇西上邽（今甘肃天水西南）人。少习兵法，沉勇有谋。后屯田卫疆，立大功。晚年奉诏回乡养老，朝廷议及边境大事，仍听其意见。

捐献家产　为国分忧

——爱国志士卜式的故事

卜式是西汉河南人，一向以畜牧为生。父亲死的时候，还留下了一个弟弟需要他抚养。卜式把弟弟抚养大了，就和他分了家，把田地、房屋以及一切财物几乎全给了弟弟，自己只要了一百多只羊。卜式带着这些羊到山里去放牧。过了十几年，羊愈繁殖愈多，卜式也愈来愈富。他又买了田地、房屋，成了富翁。

卜式生活的年代正是汉武帝在位的时期。当时，国家的力量日益强大，为了保障边疆人民的生活安定，汉武帝接二连三地出兵和匈奴作战。战争耗费了大量的财力，国家的钱库和粮库都用空了。战争仍在进行，军饷不能断绝，如果不能及时筹集军饷，对外反击战就会半途而废。于是汉武帝发布诏令，凡是能够向国家贡献财产的人就给官做，罪人献出财物的可以免去罪名。

诏令传到了卜式那里。当他得知国家因为保卫疆土、抗击匈奴而钱粮用空、筹饷困难时，心里很不平静。卜式的家乡自从秦朝灭亡后一直在匈奴的奴役之下，不久前大将军卫青才把这地方从匈奴手里夺回。他是尝够了沦陷之苦的。如果国家没有力量继续保卫疆土，抗击匈奴，消灭敌人，那么掠夺者岂不是又要卷土重来？作为一个平民百姓，怎样才能为国家出力效劳呢？汉朝时，天下的平民百姓都可以直接给皇帝写信，百姓上书由掌管皇宫司马门的公车司马令总负责。卜式打定主意，上书朝廷，献出一半家财给国家，作为保卫边疆的军饷，以表达他报国的一片忠诚。书信写好后，卜式不辞辛劳，风尘仆仆地从河南赶到了京城长安，把书信递送到司马门。

汉武帝看了卜式的上书，十分重视，马上派了一位使者代表他去接见卜式。使者见到卜式一身牧羊人的装束，不像一个有万贯家产的富翁，不禁有点儿惊奇。使者问卜式："你捐献给国家一半家产是想做官吗？"

卜式摇摇头说："我从小牧羊，不曾学过做官的知识，我不想做官。"

使者又问："是不是家里有什么冤情想申诉？"

卜式想自己可是真心报国，使者怎么问起这个来了，是不是朝廷误会了自己的意思，于是急忙解释说："我从来没有和别人争吵过。在我的家乡，有人穷困得不能生活，我就帮助他；有人品行不好，我总是劝导他；我所住的地方，没有人不听我的话。人们都待我很好，我哪里还会有什么冤情要申诉呢？"

难道天底下真有这样真心报国的人吗？使者简直不敢相信自己的耳朵了，仍然用怀疑的口气询问："那么你献出家财为的是什么呢？"

卜式不假思索地说："没有什么别的意思，我以为国家要抗击匈奴，凡是有作战能力的人，应当到前线去打仗；凡是有钱的人，应当献出自己的家财。这样有力出力、有钱出钱，才能消灭匈奴。"

使者消除了心头的疑问，钦佩得连连点头，他如实把卜式的话报告给了汉武帝。汉武帝把这件事告诉了宰相公孙弘，征求他的意见。公孙弘说："这事不合乎常理，哪有这样好的人肯无缘无故捐出自己的财产呢？此人一定另有别的打算。这种人是靠不住的，如果大家都学，说不定会养成投机取巧的心理，我看还是不要接受他的捐献为好。”汉武帝听了迟疑不决。卜式则仍旧回去继续种田和牧羊。

不久后，汉朝大规模反击匈奴的战争取得了胜利。

公元前120年的秋天，潼关以东的地区发生了特大水灾，政府将70多万灾民迁进关中救济。由于上一年安置归附汉朝的匈奴支出巨大，国库里拿不出钱粮来供应灾民的给养。朝廷颁布法令，以征收商业税来筹集款项，解决财政上的困难。可是那些富商大贾争相逃税漏税，使国家的财政收入得不到保证，无法解决财政上的困难。在这国家困难的时刻，卜式又一次挺身而出，到河南太守衙门捐献了20万钱来救济灾民。

汉武帝从河南太守上报的捐款名单中看到了卜式的名字，想起了前几年卜式献产报国的事，大为感动，就说：“从前请求捐献一半家财作军费的不就是他吗？既然这样热心，应当加以奖励。”为了表彰卜式深明大义、献产有功，汉武帝破例赏赐他第十级左庶长，又授予他中郎的职务，赏了十顷田地，并把他的报国事迹公布于天下，教育人民。于是，全国人民都知道有个爱国模范卜式了。

卜式不愿意做官，汉武帝说：“你不是会放羊吗？我在上林苑养了些羊，就劳烦你去管羊吧。”卜式从此换上草鞋，穿上布衣，当真牧起羊来。过了一年，羊也养肥了，数量也大大增加了，汉武帝看了以后大加称赞。卜式详细地向汉武帝介绍了牧羊经验，并深有体会地说：“不但牧羊应当这样，就是管理百姓的官也要用我牧羊的法子才好。什么法子呢？就是起居饮食要有规律，羊群中间有了败类的羊，就要把它单放，不要让它把羊群给带坏了。”汉武帝听了他的话，认为他的见解很有道理，就派他任缑氏县的县令，想试试他的才干，果然卜式就任后缑氏县的百姓对他都很满意。汉武帝又升卜式任成皋县令，成皋地处交通要道，不比缑氏是山区，大小事情要复杂难办多了。可是卜式到任之后，经理漕运，成绩卓越。汉武帝认为他是个忠于职守、才华出众的人，又把他升作齐国的国相。

后来汉朝又对南越用兵，粮饷、器械、马匹、船只等需要很多的费用，加之四面八方都向外开拓疆土，需要的人力也非常浩大。国家筹措正感困难之时，卜式又以齐国国相的身份来上书请愿了。他说："南越现有战争，我愿意带着我的儿子和齐国熟悉行船的人，一齐到前方去参加作战，准备献出生命。"汉武帝为了这事，特地下了一道诏书说："卜式虽然是个种田牧羊的人，并不贪图私利，一有余财就捐献给国家。现在天下多事，卜式居然自愿带领儿子一同赴国难，虽未作战，但这种正义之情弥漫胸中。特封为内侯，加赐黄金 60 斤，田 10 顷，布告天下。"

(选自《古代爱国志士百人传》，作者曲世积)

卜式，西汉官吏，河南人。少时牧羊，历时十余年，至千余头，又置田宅，由是致富。屡以家财捐助国家，汉武帝任为郎中，后封官内侯，官至御史大夫，后以寿终。

“为国立功，只能前进”

——外交家张骞的故事

应募出使

汉朝时，由外部而来的最大威胁是生活在中国西北部地区的游牧民族匈奴。从汉高祖刘邦时起，汉朝就对匈奴采取时而和亲时而战争的政策，但始终未能制止匈奴对边境的进扰。

公元前 141 年，16 岁的刘彻即位，即汉武帝。这时汉朝的国势比以前强盛多了。年轻有为的汉武帝发愤加强武备，筹划进击匈奴。

汉武帝心头萌发了一个重大的战略计谋：派使者到西域去，与那里的 20 多个国家建立关系，并联络曾被匈奴打败而远逃西域的月氏，共同夹攻匈奴。

他把这个计谋跟大臣们一商量，虽说没有人反对，可是大家都觉得实行起来困难太大了。月氏在西域二十几国以西，究竟在哪里，找得到找不到？派人从这里出发到西域去，要经过匈奴占领的地区，通得过通不过，会不会丢了脑袋？由此西行，一路上人烟稀少、野兽出没、风雨雪雹的艰苦且不论，沙漠里没水没草的怎么办？所以，汉武帝问了好几声，也没有人挺身而出。于是，汉武帝毅然决定用招募的办法。不管原来的官职大小，也不论身份如何，只要勇敢健壮不怕艰险，愿意为国家出力，都可以应征。

消息一传出，不少人报了名。他们大多抱着爱国的热忱，愿意冒生命危险去完成这一重大使命，其中有一个名叫张骞的，更是态度坚决。

张骞在皇宫中担任郎官，做侍从、警卫等工作。他平时就表现出顽强的意志，过人的胆略。汉武帝正式任命张骞为使臣，并从应征的人中挑选了100多人，作为他的随从。

公元前139年，张骞从汉武帝手中接过代表汉朝威仪和使节身份的旌节，带着随从踏上了西行的征途。

持节不屈

张骞一行离开长安，取道陇西（今甘肃南部），接着渡过黄河，进入祁连山区。这一带是匈奴活动的地方。张骞一行为了避免被发现，不得不经常白天隐蔽休息，晚上依星月定方向赶路，艰难地向西行进。

不料，张骞他们还没有走出祁连山区，就同匈奴骑兵遇上了。匈奴骑兵仗着人多马快，把他们团团围住。张骞指挥随从沉着应战。尽管他们英勇作战，终究寡不敌众，最后还是当了俘虏。

匈奴骑兵把俘获的汉人送到单于那里。进帐的时候，他们想夺掉张骞手中的旌节，可是张骞抓得紧紧的，怎么也不肯松手，并且义正词严地说："我是汉朝的使臣，这旌节不能放！"单于觉得奇怪，问："你们究竟是什么人，要到哪里去？"张骞持着旌节，堂堂正正地回答："我奉汉天子派遣出使月氏国。请大王下令释放，让我去完成使命。"

单于一听，明白了所以然，气呼呼地说："天下哪有这样的好事。月氏与我为敌，汉朝使者竟敢通过我的地区出使月氏。要是我派使者经过汉朝到与你们为敌的国家去，可以吗？你还不如留下来为我们做事吧。"

张骞昂首挺胸，凛然拒绝道："我是汉朝的使臣，岂能做匈奴的官！"

单于无奈，只好叫人把张骞鞭打了一顿，然后交给一名贵族当奴隶。张骞的随从人员也都按照那时处置俘虏的办法，给一些贵族当了奴隶。

张骞当了奴隶，整天放马牧羊。单于为了磨灭张骞的意志，把一个当地的女奴隶配给他做妻子。日复一日，年复一年，草原由嫩绿转为枯黄，又从枯黄转为嫩绿。转眼 11 个春秋过去了，张骞的头发花白了，妻子也已经生了两个孩子。但他常常遥望长安，西盼月氏，自叹目的未达。他始终珍藏着汉武帝亲手交给他的旄节，并勉励自己：只要不死，一定完成汉天子的使命，出使月氏。

日子一长，匈奴对张骞的监视也慢慢松懈了下来。

誓奔月氏

当年与张骞一起被俘的随从中，有一个名叫甘父的人，原是匈奴人，因在一次战争中被俘，直到应征作了张骞的随从，才恢复了自由。他的骑射本领高强，很得张骞的信任器重。匈奴放松了看管，甘父于是趁机同张骞联系上了，他们设法通知其余被俘的随从人员，暗中准备好了弓箭和干粮，悄悄打听西行的道路，等待着逃跑的机会。

在一个秋天的夜里，月黑风高，张骞悄悄地跑出幕帐，拿了旄节弓箭，邀集了甘父等同伴，跨上马背，一口气跑了几十里路，才算逃脱了匈奴人的监禁。一名随从发觉背后天空渐亮，对张骞说：“我们走错路了，回长安应该朝东走，怎么往西行呢？”张骞高举旄节，大声说：“我们的使命还没完成，怎么可以回去？为国立功，只能前进，不能后退!”同伴们见张骞这么坚决，不再犹豫，都随着他朝西疾驰。

他们人不离鞍，马不停蹄，历尽千辛万苦，终于跑出了大草原，跨过了大沙漠；然后，翻越了冰冻雪封的葱岭 (今帕米尔高原)，到达了大宛国(古代中亚国名)。

大宛王早就听说遥远的东方有个大国，文化发达，物产丰饶，只是彼此相隔万里，一直无从往来。他见张骞一行人到来，问明是汉朝使者，大喜过望，连忙热情款待。大宛王也愿意与汉朝通好，对汉朝使者忠贞为国、坚定不移的精神尤其钦佩，于是送了些良马等礼物，派向导给张骞带路去月氏。

张骞离开大宛国，经过康居（古西域国名），到达了月氏。他手里握着早已脱了漆、掉了毛的旄节，眼中闪着激动的、晶莹的泪花。十多年来他含辛茹苦、艰苦奋斗，最后终于到达了目的地。

月氏王听说东方的国家万里迢迢派来使者，感到十分荣耀和高兴，但对于迁回原地与汉朝共同夹攻匈奴却感到踌躇。因为他们现在居住的地方水草丰肥、人民安乐，所以不想再回原地找匈奴报仇了。张骞他们在月氏住了一年多，也没能说动月氏王。他想，这次到月氏，虽说没能完成天子的使命，但与大宛、康居、月氏等国建立了联系，将来还可以通过这些国家同西域各国交往，于是决定先回长安复命。

沟通西域

张骞赴月氏时，走的是天山南麓的北道，从月氏动身回中原时，他为了避免被匈奴发现，改由昆仑山的南道向东行进。可是由于不熟悉地形，他们几次都被弥漫的风雪挡住，找不到一条通路。更糟的是，就在这时他们又遇上了匈奴骑兵，再一次当了俘虏。

单于见抓住的是上回逃跑的汉使，怒不可遏，吩咐把他们鞭打一顿，然后罚做苦工。如果还想逃跑，立即加重治罪。

张骞等人重又沦为奴隶。幸好一年多后，匈奴单于病死，他的兄弟和儿子争夺王位，起了内讧。张骞和甘父趁着匈奴混乱，逃脱囚禁。一路上亏得甘父射猎飞鸟走兽才没饿死。当张骞望见长城城头上舒卷的汉朝旌旗时，两行热泪夺眶而出。他们出发时有100多名同伴，如今只剩下两个人回到了祖国。

汉武帝自从13年前派张骞出使月氏，由于一直杳无音讯，几乎把他给忘了；得知张骞活着回来后，喜出望外，连忙召见。张骞汇报了出使经过及使命完成情况，汉武帝很满意，任命他为太中大夫，并任命甘父为奉使君。

公元前123年的春天，汉武帝命大将军卫青进击匈奴，因为张骞熟悉匈奴的情况，就派他协助军务。战争取得了胜利，汉武帝封张骞为博望侯。两年后，张骞又奉命率领一万骑兵，配合"飞将军"李广包抄匈奴，结果耽误了会合的日期。这次进击，汉朝军队遭受了很大损失。汉武帝念张骞出使西域有功，没有按律处斩，只是革去爵位，贬为百姓。

张骞虽说被削职为民，心中还念念不忘报效祖国。公元前119年，汉武帝因为对匈奴作战取得了胜利，想再派人出使西域，于是召见张骞，任命他为中郎将。张骞带上副使十多人以及黄金丝绸等贵重礼品，再次出使西域。

他们到了北山（天山），晋见乌孙王，另分派副使前往大宛、康居、月氏等国，并邀请所到的西域国家派遣使者与他们一起回长安观光，目睹汉朝的强盛，断绝与匈奴的往来。

由于张骞的努力，汉朝的国威得到了发扬，开辟了西域的交通。历史上称之为"张骞凿空"（开通道路之意）。以后，凡汉使到西域各国，也总要提到张骞的名字，以取信于那些国家的国王。

自从张骞通西域后，中国的汉人地区也渐渐种起了葡萄、胡桃、石榴、黄瓜、蚕豆、豌豆、大葱、大蒜等植物。正如诗歌中颂扬的那样："不是张骞通异域，安能佳种自西来。"

更有意义的是，由于张骞开辟了通往西域的道路，那些艳羡中国美丽丝绸的西方国家的商人越来越多地来到中国；汉族商人也带着大量的丝绸，成群结队地到中亚、西亚各国去做买卖。这条连结东方与西方的道路被称为“丝绸之路”。“丝绸之路”增进了各国人民之间的友谊，交流了中国和西方国家的经济和科技文化。

(选自《中国古代爱国者的故事》，作者李光羽)

张骞 (公元前 164 年—公元前 114 年)，西汉外交家。汉中郡城固县 (今属陕西) 人。为夹击匈奴，自愿出使西域，历尽艰险，终于完成使命。张骞是“丝绸之路”的开拓者，被誉为“第一个睁开眼睛看世界的中国人”。

北海牧羊节不辱

——爱国英雄苏武的故事

一位被迫在匈奴牧羊 19 年的汉朝使节，在北海边上过着“啮雪与毡毛并咽之”的非人生活，仍然坚持汉节，毫不动摇，终于在须发尽白的时候回到了祖国的怀抱。这个人，就是人皆敬仰的苏武。他的那种感天地泣鬼神的民族气节，一直像闪耀在长空中的巨星，照耀着千秋万代，永不熄灭。

西汉时期，北方的匈奴贵族经常向南侵扰。汉武帝时打败匈奴，北方边境才得以安定。公元前 100 年，匈奴且鞮侯单于 (匈奴君主的称号) 即位，他怕汉朝趁机进攻，便派使臣到汉朝修好，并把从前扣押在匈奴的汉朝使者遣送回国。为了报答匈奴的善意，汉武帝决定派苏武出使匈奴。

苏武拿着汉武帝亲手交给他的使节，率领副使张胜、随员常惠等 100 多人，携带大批礼物，护送以前扣留在汉朝的匈奴使者回匈奴。到了匈奴，苏武拜见了且鞮侯单于，送上了礼物，递交了被释匈奴使者的名单。正当苏武完成任务等待启程回国的时候，却发生了一件意外的事情。

原来，早在苏武去匈奴以前，汉朝有个叫卫律的使者投降了匈奴，被单于封为丁灵王。卫律手下有个叫虞常的，不甘心投敌，总想找个机会干掉卫律，重返祖国。苏武出使匈奴，虞常高兴得不得了，他本来和张胜是老朋友，就私下和张胜商量，想趁单于外出打猎的时候杀死卫律，劫持单于的母亲逃回汉朝。张胜赞成虞常的计谋，并拿出钱财支持他。不料，就在虞常准备动手的前一天，被人告发。单于逮捕了虞常，派卫律去审理这个案子。

苏武本来不知道这件事，事情发生后，张胜怕牵连自己，才跑来报告苏武。苏武厉声喝道："你好大胆！我们受命于朝廷，本应以国事为重，按朝廷旨意办事。而你竟敢恣意孤行，坏了两国修好大事，还有脸面见我！"

不久，在卫律的严刑拷打下，虞常果然供出了张胜。之后，单于命令卫律劝苏武投降。苏武说："一个使节如果投降，便是侮辱国君使命，既然如此，我又有什么颜面回到汉朝呢？"说完，当即用佩剑向自己的胸口猛刺，顿时鲜血直流，昏厥过去。卫律大吃一惊，赶紧派人抢救。

苏武忠于祖国视死如归的精神，连单于也很敬佩。单于心想，苏武是汉朝文武双全的大将，如果让他归顺于我，就可以用他坐镇中原。为了逼苏武投降，当苏武的伤刚好一些时，卫律就叫他去观审虞常，并当场将虞常斩首。之后，卫律拔剑搁在张胜肩上喝道："投降免死！"张胜吓得面无人色，"扑通"一声，跪地投降了。卫律又对苏武说："副使有罪，正使罪当连坐！"苏武说："我和张胜既不是同谋，又不是亲属，凭什么叫我连坐！"

卫律举剑威吓苏武，苏武泰然自若，没有一丝恐惧的神色。卫律收剑，厚颜无耻地说："苏将军，这是何苦呢！你看看我，投降匈奴以后，蒙单于大恩，封我为王。如今我部下几万人，牛羊满山谷，享不完的荣华，受不尽的富贵。如果你今天归顺单于，明天就会和我一样。要知道人生如枝头露水，能够欢乐几年？白白丧命，又有谁知晓！"苏武毫不理睬。

卫律又威吓说：“将军不听劝告，以后我们永无见面之期了。”苏武厉声骂道：“像你这样背叛祖国、不知廉耻的人，我还见你干什么？”

单于听说苏武如此坚贞，便把他囚在一个阴森、污秽的地窖里，不给他饮食。当时正值寒冬腊月，北风呼啸着，飞卷着漫天鹅毛大雪。苏武困卧在地窖里，牙齿冻得格格作响，饥渴像刀割着脏腑，裂着咽喉。但是，苏武渴了饮雪水，饿了吞毡毛，一连好几天依然健康地活着。单于见苏武软硬不吃，便给他一群公羊，送他到北海去牧羊。并且说：“待公羊产了羔羊，再放你回汉朝！”苏武心想，单于好歹毒！这明明是让我老死在北海，永世不得回国啊!

北海天寒地冻，荒无人烟，苏武饿了抓野鼠、嚼草根，渴了饮雪水。但是艰苦的生活并没有动摇他回归祖国的决心，每天他一面放羊，一面抚摸着出使时所拿的使节，深情地怀念着自己的祖国。

一天，苏武在长安的一位挚友李陵突然来到北海。原来在苏武出使的第二年，李陵因兵败投降了匈奴。这次他奉了单于的命令来劝苏武投降。他对苏武说：“子卿，自打你出使以后，你的母亲已经故去，兄弟也已经自杀。后来听说你夫人也改嫁了，留下两个妹妹和三个幼小的孩子，不知生死。你还留恋什么？何必在这荒僻的地方白白受罪!”苏武直截了当地说：“我苏武早就准备以死报国，你如果一定要逼我投降，我今天就死在你面前。”说着，拔剑就要自刎。李陵拦阻后，只好叹息而去。就这样，苏武在北海艰难地度过了 19 个年头。

公元前 87 年，汉昭帝即位。过了几年，匈奴又与汉朝和好。汉朝要求释放苏武、常惠等人。单于声称苏武已经死了。后来，汉使再次到匈奴，常惠设法买通看守，夜里去见汉使，报告了苏武的下落，并献上迫使单于放还苏武的一条妙计。

第二天，汉使面见单于，提出放回苏武等人的要求，单于仍然一口咬定说：“苏武亡故多年了。”汉使说：“不，苏将军现在北海，我出使的前夕，我们皇上在上林御园射猎，射下一只大雁，足上拴着苏将军手写的书信一封，详述了他在北海牧羊的情形。”单于听了，大吃一惊，恐惧而羞愧地说：“汉使，寡人知过了！苏将军确实还在北海。我马上接他回来，送他回汉朝。”

公元前81年，苏武手持使节，庄严地骑在骏马上，同常惠等9人一起回到了朝思暮想的伟大祖国。从此，苏武牧羊的故事就被人们编成民歌、戏剧，在民间广为流传。他坚贞不屈的形象和崇高的民族气节，一直激励着中国人民，成为中华民族宝贵的精神财富。

（选自《可歌可泣的爱国主义精神》，赵树林编）

苏武（公元前140年—公元前60年），西汉大臣，杜陵（今陕西西安东南）人。汉武帝时，留居匈奴19年持节不屈。后匈奴与汉和亲，方获释回朝，官至典属国。去世后，汉宣帝命挂其画像于麒麟阁，以彰其节操。

“昭君自有千秋在”

——西汉女杰王昭君的故事

昭君自有千秋在，胡汉和亲识见高；

词客各抒胸臆懑，舞文弄墨总徒劳。

这首诗是董必武同志为王昭君写的。董老以高超的见识评价了王昭君，肯定了她为胡汉和亲所做出的历史功绩，批判了那些文人墨客加给王昭君的种种莫须有的评论。

提起王昭君，可以说是家喻户晓，不论是汉族还是其他兄弟民族，都能讲出几个关于这位在两千年前，为汉匈两族的团结友好，自愿出塞和亲的女子的动人故事。尤其是在内蒙古地区，更是流传着许多关于王昭君的美丽动人的故事。在一些诗词戏曲中，也有很多吟诵演唱王昭君的作品。

那么，王昭君是怎样的一个人，她为什么要“出塞”呢？

王昭君是西汉时期一个普通人家的姑娘，家住现在的湖北兴山县长江沿岸的一个群山环绕的村庄叫宝坪村（后来改名叫昭君村）。王昭君在汉元帝时被选进宫去，成了一名普通的宫女。

王昭君在宫中居住着，春去秋来，好几年了都没见过皇帝。她并不甘心深居宫中。公元前 33 年，匈奴的呼韩邪单于第三次来到长安，向汉元帝提出和亲请求，汉元帝答应了，下令挑选宫女出塞和亲。王昭君听到这个消息，立即向主管宫女的人提出愿意离开汉宫，远嫁匈奴，担负起和亲使者的重任。

说起呼韩邪单于，那可是匈奴的一位有才干、有抱负的人。呼韩邪单于在多年的斗争中认识到，只有汉匈和好，才能安定生存。他排除顽固的匈奴贵族们的偏见，坚决与汉朝结好。到公元前 36 年，汉朝的西域都护在康居消灭了郅支单于，呼韩邪便统一了匈奴各部，从此他的地位更加巩固。后来他的玉人阏氏去世，呼韩邪单于第三次来到长安，并向汉元帝提出和亲，永结和好。

远在公元前 198 年，汉高祖刘邦就曾封宫女为“公主”，远嫁匈奴单于，不过那些和亲都是迫不得已。汉朝统治者惧怕匈奴，妥协忍让，用和亲的办法求得暂时安宁。而这次形势完全不同，匈奴和汉朝的敌对局面早已结束，而且呼韩邪是第一个派遣侍子居住长安的单于，又是第一个亲自入朝觐见皇帝并和汉朝结盟的单于。

因此，王昭君这次毅然请求出塞和亲，完成这个具有历史意义的重任，正说明她是一位深明大义、有思想有抱负的女子。她要做一个巩固和加强汉匈友好关系的和平使者。这样的思想和行动，竟出自一位普通宫女，实在是难能可贵!

汉元帝批准了王昭君的请求。

在为呼韩邪单于饯行的盛大宴会上，王昭君第一次见到呼韩邪单于。

王昭君容貌丰美，仪态大方，淡扫蛾眉，薄施粉黛，服饰珠翠，顾盼生姿。她的美丽端庄竟使无数宫女黯然失色，在场的人见了无不惊得目瞪口呆，就连汉元帝也为之大吃一惊，后悔他竟不知道原来宫中还有这样一

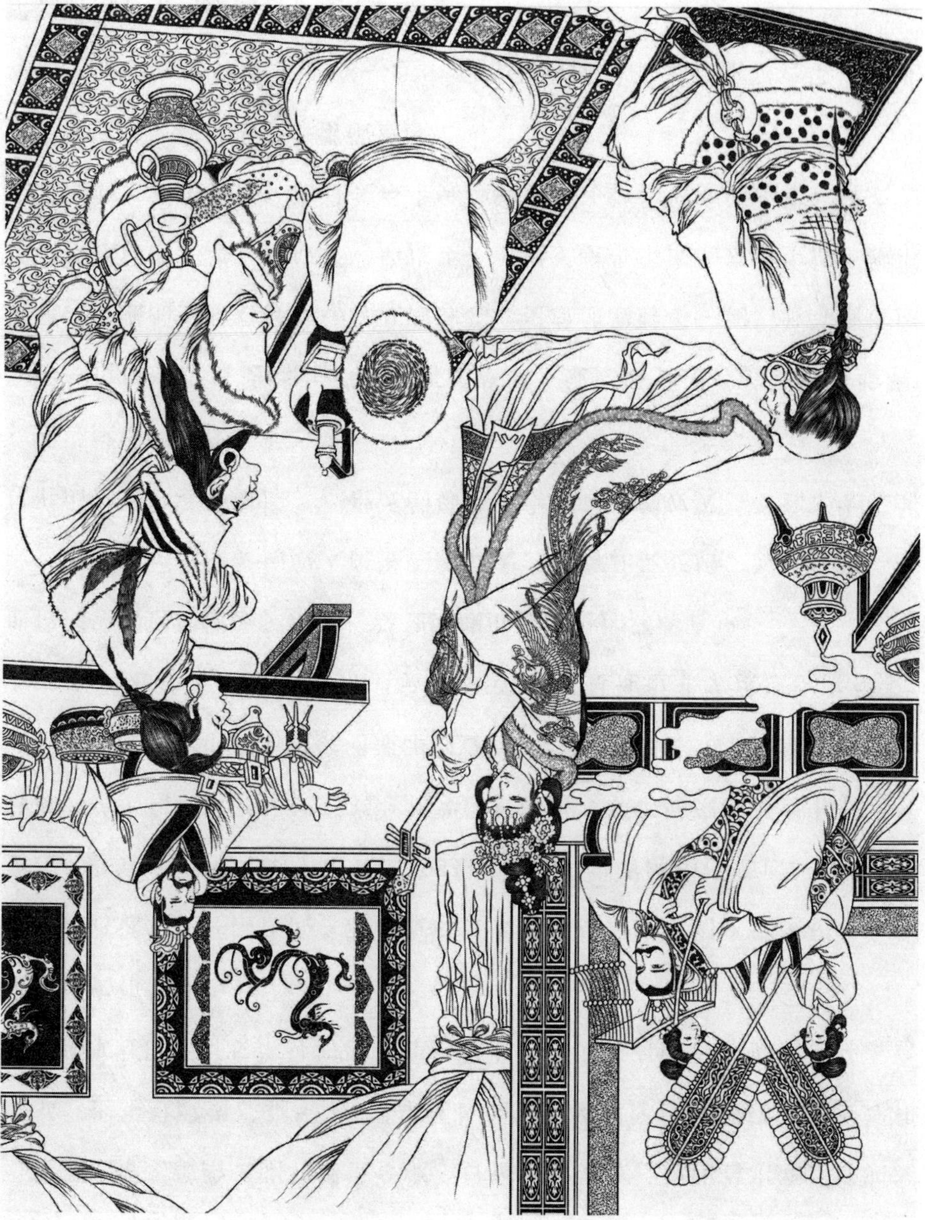

位美貌超群的女子！可是已经许嫁呼韩邪单于，又不好失信，只好追悔莫及了。

汉元帝赐赠给王昭君锦绣金宝、贵重礼物无数，送昭君出塞，并颁发诏书，把年号改为“竟宁”，以象征长久安宁，祝愿汉匈两族永远友好和平！这种为和亲而改年号的事，在历史上是绝无仅有的，可见朝廷是多么重视这次和亲了。

昭君远嫁，举国传闻，汉匈友好，普天同庆。为了纪念这次和亲，甚至连一些建筑上都有刻字记载。1953 年在包头市召湾出土的西汉文物中，就有“单于和亲”“千秋万岁”和“长乐未央”等字样刻在瓦当上，而且这类字在汉砖上也都清晰鲜明地印刻着。

呼韩邪单于封王昭君为“宁胡阏氏”，可见他也非常重视这次和亲。他特别珍惜这种情谊，从此，汉匈两族的友谊更加深厚真挚。

王昭君是位深受匈奴人民爱戴的阏氏，她离开长安后，渡过黄河，翻过群山，来到莽莽草原，把带去的珍贵礼物分赠给匈奴人，受到了大家的欢迎、爱戴和信任。

一位深居汉宫的弱女子来到塞北草原，她要经受怎样的困难考验啊！可是，坚强的王昭君怀着一颗高尚的心，勇敢地战胜了一切。她逐渐适应了严寒风沙的环境，适应了穹庐皮裘，习惯了吃牛羊肉的塞外生活。她不仅和匈奴人和睦相处，而且关系十分融洽。她还教给妇女们织布、缝衣和务农等技术，匈奴人民非常敬重她。

王昭君和呼韩邪单于在一起生活得很幸福，不久，他们有了一个儿子，后来做了匈奴的右日逐王。

不幸在公元前 31 年，就是他们婚后的第三年，呼韩邪单于去世了。

大阏氏的儿子雕陶莫皋立为复株累若鞮单于。王昭君从大局出发，以民族利益为重，珍惜汉匈两族结下的友谊，遵照汉成帝的旨意，按照匈奴的风俗，又做了阏氏，后来又生了两个女儿。

至于王昭君后来是什么时候、在什么地方永远离开匈奴人民的，现在已经无法考查了，但是王昭君的名字却永远留存在匈奴人民的心中。

王昭君的子女甥婿也都秉承她生前的遗志，继续致力于汉匈两族的友好事业。因而在呼韩邪单于归汉后的五六十年间，汉匈两族之间出现了持续和平的局面：万里长城熄烽火，塞内塞外升炊烟，农牧两旺人欢畅，欢歌笑语永不断。匈奴人民用马、牛、羊和骆驼等牲畜，换回汉族人民的农副产品、铁制农具和手工业品，互通有无的关市交换，频繁而又兴盛，长城内外一派繁荣景象。

传说昭君墓就在呼和浩特市的南郊，墓高 20 多米，占地 20 多亩。相传是在王昭君死后，匈奴人民从四面八方用袍襟兜来黄土，含着眼泪，把王昭君葬在那里的。说来也奇怪，每年春天，那冢上的草发青得最早，而到秋天却又凋零得最迟，远远望去一派青黛，所以又叫“青冢”。

现在，王昭君墓更是修整得焕然一新。董老的诗就刻在墓前入门迎面的大石碑上。历代的碑文也重新整修，依次排列成行。墓周围绿树成荫，花草茂盛。墓旁新建的陈列室展出着有关王昭君的历史文献和出土文物。这座象征着民族团结的昭君墓，将随着我国各族人民空前团结共同建设我们伟大的社会主义祖国而愈加彰显出它的光辉，发挥它的历史作用。

（选自《古代爱国志士百人传》，作者闵德毅）

王昭君，西汉南郡秭归（今属湖北）人。汉元帝时被选入宫，公元前33年，匈奴呼韩邪单于入朝求和亲，她自请嫁与匈奴。昭君出塞之后，使汉朝与匈奴和好，开创了汉朝与匈奴之间60年无战事的和平局面。

闻鸡起舞

——东晋名将祖逖的故事

西晋时候，统治阶级十分残暴腐朽，汉族和少数民族人民非常痛苦。少数民族的贵族乘机扩大势力，准备夺取晋朝的政权。

当时有一个名叫祖逖的年轻人，他和朋友刘琨一起在司州（河南洛阳）当小官吏。他们看到国家形势危急，心里很焦急。两个人怀抱着热爱祖国的雄心壮志，经常在一起谈论天下大事。他们互相帮助，互相勉励，立志将来要为国家干一番大事业。

晚上，两个年轻人同睡在一张床上。一天半夜，外面的雄鸡啼叫了。祖逖听到鸡叫声，推了推身边的刘琨说：“你听听，这鸡叫声是在督促人们发愤图强啊！”这么一说，两个人都兴奋得再也睡不着觉了。他们一起跳下床来，穿上衣裳，带上宝剑，来到屋外的一块空地上练剑。

弯弯的月儿还挂在天边，星星一闪一闪地眨着眼睛。四周一片寂静，可他们的心却像翻滚的浪涛，他们多么想赶快练好本领，早一点儿为国家出力啊！两个矫健的身影在空地里来回跳动，宝剑在夜空下闪着寒光。他们越练越兴奋，越练越有劲，似乎要把心里的激情全部倾泻在宝剑上。就这样，不管是酷热难耐的夏天，还是朔风凛冽的严冬，他们的锻炼从来没有间断过。练呀，练呀，日长月久，终于练就了一身好武艺，也练成了一副坚强的好体格。

没过多久，北方发生了大乱。少数民族的贵族侵占了北方的大片土地，建立了许多国家。北方人民陷入了水深火热之中，人们纷纷避难来到长江以南的地方。祖逖也带着家属和亲戚朋友们来到了江南。

一个叫司马睿的皇族在建康（今南京）建立了东晋政权，他便是后来的晋元帝。有人把祖逖推荐给司马睿，司马睿派祖逖担任军队的参谋。

祖逖集合了一些爱国志士，天天练习武艺，准备打回北方去。过了一段时间，祖逖看训练得差不多了，便向司马睿建议说：“现在北方被胡人占领，百姓遭灾受难，都想起来反抗。如果您下令出兵，派我去收复黄河以南的土地，一定会得到大家的热烈响应，国家的耻辱也就可以洗雪了！”

不料司马睿刚刚占领江南，一心想苟且偷安，下不了北伐的决心，但是祖逖的要求又是那么名正言顺，不好公开拒绝。结果他只给祖逖一个奋威将军的空头衔，叫他到国库里领了1000人的粮食和3000匹布；人呢，却要祖逖自己去招募；武器呢，也要祖逖自己去设法制造。

摆在祖逖面前的是一大堆困难。但祖逖并没有因此而灰心泄气，他鼓起勇气，带领亲信部属100多人，渡过长江，向北方进发。附近老百姓听到消息，纷纷赶来送行，大家预祝祖逖旗开得胜，早日收复失地。

战船挂着风帆，朝北方前进。船到江心，祖逖站在船头，眼见滚滚东去的长江和两岸美丽、雄伟的山峰，他心里多么激动呀！江山如此美好，但是现在北方的土地正遭受异族统治者的践踏，百姓们的生命正遭涂炭……一想到这里，祖逖猛地拔出身边的宝剑，用宝剑敲击着船桨，对着壮士们发誓说：“我祖逖如果不能收复北方失地，决不再过这条大江！”听了祖逖的誓言，船上的壮士们都很激动，恨不得马上飞过江去，奋勇杀敌。

渡过长江，祖逖命令军队驻扎下来，一面立起炉灶，制造武器；一面招募军队，训练士卒。

江北人民听说祖逖北伐来了，感到非常兴奋，年轻人纷纷报名参加他们的队伍。祖逖很快就募集了 2000 多人。不能加入队伍的，也主动给祖逖送来粮食，为他们探听情报，帮助他们做好反攻的准备。在人民的大力支持下，仅仅几年时间，祖逖就收复了长江以北的大部分土地，一直向黄河流域挺进。

在黄河中游，羯族贵族石勒建立了后赵国。后赵国的军事力量很强，祖逖率领的晋军受到了后赵军的阻挡。在黄河边上，祖逖跟他们展开了激烈的战斗。

祖逖部下的将领韩潜率兵进驻蓬陂城，占领了城的东部。后赵军的将领桃豹却死守蓬陂城的西部，跟晋军顽抗。双方对峙了 40 多天，谁也消灭不了谁，晋军和后赵军的粮食供应都发生了困难。祖逖亲自来到韩潜的军营，他观察了那里的形势，左思右想，想出了一条巧妙的计策。

第二天天一亮，驻在西城的后赵军在高地上远远看到晋军来了 1000 多士兵。他们推着粮车，唱着歌，粮车上堆满了圆鼓鼓的米袋，只见有几个士兵显出很疲劳的样子，他们推的粮车掉了队，正停在那边休息。后赵军的士兵们饿得发慌，看到这几个晋兵掉了队，便一齐冲过来抢粮，那几个晋军慌忙丢下米袋子就跑。后赵军把抢回来的米袋打开一看，全是白花花的上等粮食。他们把粮食煮成香喷喷的米饭，边吃边议论起来："真想不到祖逖他们军粮这么充足！""我们忍饥挨饿，可人家还有这么多粮食。我们怎么打得过人家呢？"

晋军也缺乏粮食，这么多的粮食是哪儿来的呢？原来这是祖逖巧妙安排的蒙骗后赵军的计策。其实运粮队伍前面大批米袋子里装的是沙土，只有后面那几个袋子里装的才是真正的粮食。

后赵军泄了气，守卫西城的信心开始动摇了。桃豹一看军心动摇，赶快派人送信给石勒。石勒也很着急，马上搜刮了一批粮食，派人装在一千多头驴子上，赶去接济桃豹。

祖逖知道了这个消息，立即派韩潜带领一支人马埋伏在半路上。敌人的驴子走近了，晋军突然从路边冲杀出来，把敌人的粮食全部夺了过来。

桃豹听说粮食被夺走了，十分恼火，像个泄了气的皮球一样打不起精神来。桃豹知道蓬陂城再也没法守下去了，只得带领军队连夜逃跑了。

接着，祖逖打了一次又一次的胜仗，威信越来越高，被提升为镇西将军。祖逖虽然当了将军，生活仍旧很俭朴。他和士兵们同甘共苦，同士兵们一起耕田，一起上山打柴，给部下做出了榜样。他还经常把节省下来的钱拿出来，帮助部下解决困难。

祖逖一面加紧训练军队，严肃军纪，一面组织军队开垦荒地，解决了军粮的困难。他对从后赵国那里逃出来的官兵和百姓非常优待，对曾经给后赵国做过事的人也大胆任用，不怀疑他们。那些人打心里感激祖逖，碰到后赵军队有什么动静，就赶快跑来向祖逖报告，衷心拥护祖逖。大伙儿还编了民歌歌颂他。

祖逖看到人们那么热情，心里非常兴奋，准备时机一到，就继续进军，收复北方的全部失地。但是司马睿害怕祖逖得到人们拥护，自己不好控制，所以非但不支持他继续北伐，还派了一个名叫戴渊的人去监视祖逖，不让他实现自己的理想。

祖逖心里多么愤恨，多么痛苦啊！他眼见恢复国土的计划没法实现，急得生了重病，55 岁那年便去世了。祖逖去世的消息一传开，老百姓们悲痛万分，有的像死了爹娘一样放声痛哭起来。大家给祖逖塑了雕像，建了祠堂，永远纪念这位杰出的爱国英雄。

（选自《中国古代爱国英雄故事》，马允伦编著）

祖逖（266 年—321 年），东晋名将，范阳遒县（今河北涞水北）人。青年时期，行事仗义，有大志。公元 313 年，要求北伐，晋元帝任命为豫州刺史，后收复黄河以南大部分地区。后因朝廷内明争暗斗，对他不加支持，最终忧愤病死。

藏汉和亲传美名

——文成公主的故事

在我国唐朝，有一位对汉族和藏族团结做出很大贡献的女子，至今在西藏民间还有着巨大的影响，藏族同胞们经常提到她的名字，拉萨的某些节日里还演出歌颂她的剧目，这位女子就是文成公主。

1300多年前，正是唐朝的贞观年间。当时唐朝的政治比较清明，社会经济得到了很好的发展，出现了封建社会的“盛世”。

正当唐朝日益强盛的时候，在祖国的西部地区兴起了一个新的藏族王朝——吐蕃。这个王朝的赞普（即国王）松赞干布是一位有胆有识的杰出英雄。他统一了高原上的许多部落，把都城迁到逻些（今拉萨），励精图治，为吐蕃的发展创造了条件。

松赞干布很羡慕唐朝经济文化的繁荣，要和唐朝结成亲密关系。他派亲信大臣禄东赞率领一百名骑士，带着一千两黄金和数百件金银珍宝，到长安求婚。

传说当时一共有五个国家派使臣到长安求婚，其中包括吐蕃在内。唐太宗不知道把公主嫁给谁好，就三番五次地出难题考试，看哪个国家的使臣最有才干，就把公主嫁给那个国家的国王。

唐太宗出的第一道难题是穿九曲明珠。他叫人拿来一颗九曲明珠，让各国使臣把一根丝线穿过去。其他使臣都很发愁，只见禄东赞找来一只蚂蚁，将丝线系在蚂蚁的腰部，把蚂蚁放入九曲明珠的孔中，吹了几口气，蚂蚁便带着丝线，顺着弯曲的孔道从另一端爬了出来，丝线穿过去了。

接着唐太宗又出了第二道难题：百驹求母。他叫马夫赶来母马和马驹各一百匹，叫使臣辨认出它们的母子关系。其他使臣都束手无策，只有禄东赞想出了个好主意。他运用吐蕃人放牧牲畜的经验，暂时不给马驹吃草和饮水。过了一天，他把母马和马驹同时放了出来，只见马驹都飞奔到各自的母亲那儿吃奶，这样哪一匹小马是哪匹母马生的，就一清二楚了。

此后，禄东赞凭着他那超人的智慧，又接连闯过了两道难关。最后，唐太宗出了第五道难题：在宫里集合一千个美女，都是一个式样的打扮，让使臣们看一两眼后，从中认出公主来。禄东赞经一位曾经服侍过公主的老大娘的指点，得知公主两眉之间有一颗红痣，很快就把公主认了出来。

经过“五试婚使”，唐太宗看到禄东赞如此聪明、机智，就决定把美丽多才的宗室女儿文成公主许嫁给松赞干布。

公元641年，唐太宗派礼部尚书江夏王李道宗护送文成公主入吐蕃。松赞干布亲自率领大队侍从和护卫人员，从逻些赶到柏海（今青海扎陵湖）去迎接。当文成公主到达逻些时，吐蕃人民欣喜若狂，他们穿着节日的盛装，热烈欢迎这位远道而来的新赞蒙（即王后）。为了尊重公主的生活习惯，松赞干布按照唐朝的式样专门建造了宫室，举行了隆重的婚礼。

文成公主入藏的时候，带去了许多经史、诗文、佛经、佛像以及工艺、医药、历法、种植等书籍，还带去了大量的种子和工具。那时候，吐蕃没有完整可靠的历法，以麦熟为一年的开始，文成公主帮助吐蕃人推行历法。吐蕃人还从公主带去的农业书籍中学会了汉人平整土地、筑田、挖畦沟、除杂草等技术，提高了耕作水平。文成公主还向吐蕃妇女传授纺织和刺绣技术。她带去的水磨深受吐蕃人民的欢迎，使他们学会了用水力磨面。

文成公主信仰佛教，研读过许多佛经。在文成公主的影响下，松赞干布提倡佛教，在逻些修建了宏伟壮丽的大昭寺，把文成公主带来的佛像供奉在寺里。吐蕃贵族热心学习汉族文化，松赞干布曾派许多贵族子弟到长安求学。松赞干布还邀请许多有学问的汉人到吐蕃掌管文书，并不断向唐朝索要书籍、工匠和蚕种。

公元650年，即文成公主入吐蕃后第9年，34岁的松赞干布不幸逝世，文成公主十分悲痛。在这以后，尽管文成公主深深怀念乡国和亲人，但她始终没有要求回长安，继续在吐蕃生活了30年。公元680年，文成公主病逝，吐蕃人民为她举行了最隆重的葬礼。按照吐蕃的习俗，吐蕃史书从不记载后妃的死丧和葬仪，但对文成公主却破例予以记载。

文成公主不但载入藏族史册，而且一直活在藏族人民的心里。藏族人民特地为文成公主设定了两个纪念日：一个是文成公主到达拉萨的日子，另一个是文成公主的诞辰。藏族戏剧也以文成公主的故事为题材，经常在舞台上演出。直到今天，西藏民间还流传着这样一首动人的民歌：

从汉族地区来的王后文成公主，
带来不同的粮食共有三千八百类，
给西藏的粮仓打下坚实的基础。
从汉族地区来的王后文成公主，
带来不同手工艺的工匠五千五百人，
给西藏的工艺打开了发展的大门。
从汉族地区来的王后文成公主，

带来不同的牲畜共有五千五百种，
使西藏的乳酪酥油从此年年丰收。

文成公主是藏族融入中华民族的伟大象征，为中华民族的团结和发展做出了杰出的贡献，一直受到我国人民的尊崇和爱戴。

(选自《可歌可泣的爱国主义精神》，赵树林编)

文成公主（625年—680年），祖籍山东济宁（今任城）。公元634年，吐蕃赞普松赞干布嗣位，遣使求婚。文成公主与松赞干布成婚，对促进藏汉两族人民的团结和发展、西藏的经济文化发展做出了重要贡献。至今拉萨的布达拉宫和大昭寺内仍有她的塑像。

固守睢阳抗叛军

——唐朝将领张巡的故事

唐代中叶，安禄山、史思明勾结契丹、突厥、同罗、奚等少数民族军阀造反作乱。由于朝廷腐败，大官们不是闻风逃跑，就是投降敌人。不多久，长江以北大部分地区沦陷，西京长安、东京洛阳相继失守，唐玄宗逃往四川避难。叛军到处烧杀抢掠，人民处于水深火热之中。

唐玄宗西逃了，各地爱国军民不甘忍受外族的欺凌，纷纷组织力量抗战。这时，在河南睢阳（今河南商丘南）一带，涌现出了一位著名的抗战将领张巡。张巡原是河南的一个地方小官员，他激于民族义愤，毅然率领当地人民起义，屡次击退叛军的进攻，有力地牵制了叛军南下的军队。

叛军把睢阳看作钉在他们心窝上的一颗钉子，占领了河南大部分地方后，即组织十几万大军猛扑睢阳，妄图一举踏平睢阳城。

当时，睢阳守军不满三千，一些将领认为敌我力量悬殊，形势危险，主张弃城撤退。张巡竭力反对，他指出："如今中原抗战部队的粮饷主要靠长江下游和淮河两岸供给。睢阳是江淮的屏障，保住睢阳，就保住了抗战部队的粮食供应；失去睢阳，就等于失去了抗战部队的生命线。因此，叛军志在必得，我们则绝不能放弃。虽然形势是险峻的，但是为了国家，我们必须全力抗战，死守睢阳。城破之日，唯有以死报国！"

大家都为张巡的浩然正气所感动，纷纷表示要誓死守城，为国献身。

睢阳太守许远是当时全城的最高领导人。他一方面被张巡的爱国精神所感动，另一方面觉得当前任务重大，自己的军事才能又比不上张巡，因此提出让张巡代理全城的最高指挥官，自己愿意接受他的指挥。张巡并不推让，一口答应了。事后，有人问他：“不怕别人说你贪图官位吗？”

张巡苦笑了一下，说：“这不是什么图官位，而是上刀山。国难当头，我应该争先上刀山。”

叛军看到守城军队很少，根本不把守军放在眼里，他们像潮水一般向城下涌来。看到叛军的嚣张气焰，张巡怒发冲冠，他须眉倒竖，亲自擂鼓指挥战斗。雄壮的鼓声鼓舞了广大将士的斗志，个个奋起还击，大批大批的叛军在弓箭瓦石下丧命。叛军架起云梯攻城，城上抛下大捆大捆燃烧着的浸油干草，把叛军烧得焦头烂额。叛军用战车、木马冲锋，又被城上掷下的大石砸得粉碎。叛军一次次的进攻都被粉碎了，睢阳城屹然不动。敌人没有办法，就在城周围挖壕沟、竖栅栏，企图困死睢阳城内的军民。

艰苦卓绝的战斗坚持了几个月。城中的粮食吃光了，战士们就杀战马吃；战马吃光了，就吃谷糠、啃树皮；树皮也吃光了，便到处捉小鸟、挖老鼠，甚至煮纸张、铠甲充饥。不少战士在饥饿、疾病中倒下去了，活着的也一个个瘦得只剩下皮包骨头，情景十分凄惨。张巡心如刀割，流着泪对将士们说：“到了如今这般田地，诸位仍能为国尽忠，我恨不得把我腿上的肉割下来给大家充饥啊！”

将士们深受感动，大家相对流泪。可是一听到敌人来攻城，饥饿抱病的将士们都一跃而起，投入战斗。张巡在城上大声呼喊督战，喊得声嘶喉哑；一番打斗中他眼眶破裂，血流满面。全体将士气壮山河，拼死抵抗，一次又一次地把叛军打退了。

情况越来越严重了，张巡不得已派出部将南霁云冒死突围向友军求救。他先到彭城，彭城守将害怕叛军，不肯发兵。又到临淮，临淮是节度使贺兰进明的驻地，驻有重兵。南霁云一到，贺兰进明即设盛大酒宴招待他，席间还奏起了音乐。贺兰进明举杯劝饮，南霁云高举酒，流着泪说："现在睢阳的将士们正在吃草根树皮，眼前的佳肴美酒我咽不下去，只要答应我出兵救睢阳，我即干了这杯……"

贺兰进明抢过话头："这个吗……将军原谅，出兵救睢阳，应该是应该，可是力不从心啊!"

南霁云一听这腔调，就义愤填膺地一扬手把酒杯摔个粉碎，拔下佩刀砍下一个手指，并把这血淋淋的手指抛向贺兰进明："记住! 这个断指是我南霁云来到这里的见证，也是你拒绝援救睢阳的见证……"说完，愤然离开。

南霁云冒死冲回睢阳城。将士们听了他的讲述，个个切齿痛恨，一些将士把手中的刀枪扔在地上，愤怒地叫嚷着："我们在这里拼死抗敌，保卫了他们的安全，他们却在那里快活，见危不救! 把睢阳放弃了拉倒，看他们还快活什么!"

张巡心里也非常愤恨，但他绝不能同意将士们的这种言论。他强忍着满腔怒火，对将士们进行耐心地说服："兄弟们！我们为什么要拼死守卫睢阳？是为了那些怕死鬼、卖国贼吗？绝对不是。我们为的是国家和人民，为的是整个抗战大局。他们贪生怕死，见死不救，是民族的罪人，人民自有公论，历史自有公论。我们为国牺牲，是民族的英雄，人民会有公正的评价，历史会有公正的评价。兄弟们，拿起你们的武器，继续战斗罢！"

将士们听了张巡这番感人肺腑的话，流着热泪悄悄地拿起自己的武器，回到了各自的战斗岗位上。

战斗越来越残酷，情况越来越困难，最后将士们饿得连拿刀枪的力气也没有了，睢阳城终于陷落了。张巡和活着的将士们都落入了叛军的魔掌。

叛军威逼张巡投降，张巡对着叛军头子睁眉怒目，破口大骂。叛军头子发怒了，用刀子猛戳他的牙齿，张巡的牙齿全都打掉了，满口鲜血。他将口中的鲜血朝叛军头子脸上喷去，仍然骂不绝口，最后壮烈牺牲。许远、南霁云等也坚贞不屈，最后也被叛军杀害了。

睢阳的抗战有力地牵制了叛军的10万兵力，使唐朝大将郭子仪等率领的军队大受鼓舞，他们奋勇战斗，收复了西京长安，扭转了整个战局。张巡等将领们用自己的生命为祖国的统一完整做出了重大贡献，受到了人民群众的敬仰。

（选自《爱国人物故事选》，作者谭绍鹏）

张巡（708年—757年），唐朝将领，蒲州河东（今山西永济）人，唐玄宗开元末年中进士。领兵与睢阳太守共守孤城，英勇无畏，城破被俘，不屈而遭杀害。

诗圣著千秋

——大诗人杜甫的故事

公元770年冬的一天，湘江下游从长沙到岳阳的水面上，漂泊着一只破旧的小篷船。小船的主人在饥寒交迫、贫病相逼中与世长辞了。他，就是唐代诗坛上的巨星杜甫。那一年，他才58岁。

仕途失意

公元746年，杜甫怀着“致君尧舜上，再使风俗淳”的政治抱负，来到京城长安。他一心想求个官职，以便施展自己的抱负。但是生活并不遂人愿，他在长安一共住了10年，没有得到过显要的官职，然而对于社会现实的认识却比以前深刻多了。此时正是唐朝由盛到衰的急剧转变时期，他看到了当权的统治集团的腐败和人民的痛苦。早年颇有励精图治精神的唐玄宗李隆基，这时已成为只知求仙拜神、声色犬马的昏君，而把大权交给了一个名叫李林甫的奸臣。

李林甫是个口蜜腹剑的阴谋家，一旦大权在握，便倒行逆施、胡作非为。公元747年正月，唐玄宗下诏，命凡有艺术特长的人都到长安应试，杜甫也参加了。但这次会考成了李林甫把持下的一个大骗局，结果没有一个“及第”被录取的；而李林甫竟然还假惺惺地向唐玄宗表示祝贺，说什么“野无遗贤”，证明黄帝英明，普天之下的有用之才都已得到重用，以此蒙骗皇帝。经历了这个骗局，杜甫对权奸专横的黑暗政治认识得比较清楚了。

仕途失意，父亲到奉天上任不久又去世了，他的经济来源也断了。

朝扣富儿门，暮随肥马尘。

残杯与冷炙，到处潜悲辛。

这四句诗清楚地说明，为了解除贫穷的压迫，求得一官半职，杜甫只能在苦苦地哀求中讨生活了。

忧国伤时

在长安到处流浪的生活，使杜甫有机会广泛地接触社会。从达官贵人的邸宅园林到平民百姓集中的穷街陋巷，从重楼名阁林立的曲江之滨到军队出征必经之道的咸阳桥头，都留下了他的足迹。随着个人的贫穷与社会的腐败日益加深，杜甫忧国忧民的爱国思想也日趋成熟，他那不可阻遏的诗人激情如同冲决堤岸的洪流就要爆发了！

一天，杜甫站在咸阳桥头，亲眼看到去往西北边陲的士兵们出发的情景：父母妻子牵衣拦道，哭声震天；满头白发的老兵悲怆哭诉，凄惨不已。此情此景触动了杜甫强烈的诗情，他再也压抑不住心头的愤恨，第一次写出了替人民说话的诗歌《兵车行》：

车辚辚，马萧萧，行人弓箭各在腰；

爷娘妻子走相送，尘埃不见咸阳桥。

牵衣顿足拦道哭，哭声直上干云霄，

……

这幅壮丁被征调出发时的惨状，反映了人民的深重灾难；“边庭流血成海水，武皇开边意未已”，同时也揭露和斥责了最高统治者开边征战的罪恶。

在长安生活的第 9 个年头，杜甫被任命为河西县尉。当时的县尉是个必须曲意逢迎长官，用鞭子直接抽打百姓的芝麻小官。受命担任这样的官职，对于一个稍有正义感的人来说，都是不堪忍受的，杜甫毫不犹豫地拒绝了这个任命，虽然他很想做官，但他宁愿改任比县尉级别低的一个看管兵器的小官。

奋斗了近10年，他总算弄到一个小小的官职了。这一年的11月，杜甫决定在上任前回家先探望妻子家小。在一个寒风凛冽的冬夜，他从长安出发，一路上，他把10年来困居长安、“万事益酸辛”的生活细细地回忆了一遍。他思绪绵绵，感慨多多。到家时，诗情滚滚，奔涌笔端，写出了《自京赴奉先县咏怀五百字》。这首诗中“穷年忧黎元，叹息肠内热”的名句，表达了他对人民的深切同情，“彤庭所分帛，本自寒女出，鞭挞其夫家，聚剑贡城阙”，揭露了统治者尽情享乐的物质财富的来源，指出了是劳动人民创造的一切，养活了达官贵人。“朱门酒肉臭，路有冻死骨”，这千古名句为后人世代传诵。

离乱流亡

昏庸的唐玄宗一边把政事交给权奸幸臣，一边又亲手把边防军事委托给穷兵黩武的节度使掌管。边将们为了迎合唐玄宗的好大喜功，不断挑起战火，给人民带来了极大的灾难。此时看起来社会上似乎还是一片繁荣安定的景象，实际上社会内部的种种矛盾都已开始激化，一场大动乱的火种已在慢慢地冒烟了！

公元755年12月，镇守边疆的节度使安禄山、史思明在范阳起兵谋反了。这就是历史上有名的“安史之乱”。叛军长驱南下，不到两个月便攻下了东都洛阳。人民流离失所，四处逃难。刚做了小官的杜甫，也在京城陷落前1个月离开长安，开始了流亡生活。

于是，在逃亡的人流中，人们可以看到杜甫那憔悴的身影。难民们争先恐后，十分拥挤，他也被挤进蓬蒿丛中，几乎不能自救。多亏同他一起逃亡的表侄的帮助和保护，他才脱离了险境。

这时，荒淫的唐玄宗也早已瞒着长安人民，带着他所宠爱的杨贵妃，悄悄地逃往四川。他的儿子李亨，未经他的同意，在甘肃灵武自立为帝，即唐肃宗。已经回到羌村家里的杜甫听到李亨即位的消息，立即兴奋起来，把复兴唐室的希望寄托在李亨身上。但是，他在去灵武见李亨的途中，却被安禄山的士兵捉住，押解回长安当了俘虏。由于当时杜甫的地位不高，名气不大，所以没有被注意，他得以保持了自己忠君爱国的气节。

诗人困居在遍地流血、残破不堪的昔日的都城里。他和受难的人民一起感受了国破家亡的痛苦。他为岌岌可危的国家担忧，为水深火热中的人民叹息，同时也怀念天各一方的家属亲朋。他在这个时期的生活和心境，充分地表现在蘸着血泪写出的《春望》里：

国破山河在，城春草木深；
感时花溅泪，恨别鸟惊心。
烽火连三月，家书抵万金；
白头搔更短，浑欲不胜簪。

进谏遭贬

为了献身于国家的复兴事业，有一天，杜甫冒着生命危险，只身逃出长安，穿过两军对峙的前线，跋山涉水，投奔凤翔。在那里，杜甫见到了唐肃宗。唐肃宗给了他一个左拾遗的官职。这个职务可以直接向皇帝进谏忠言。杜甫忠于职守，为官不到一个月，便触怒了唐肃宗。他冒死上疏，以营救一个受冤屈的大臣，弄得自己差一点儿丢官送命。唐肃宗已经讨厌这个正直耿介的谏臣了，命他离开凤翔，回羌村探亲。

在一个凄风苦雨的秋晨，杜甫踏上了归家的旅途。一路所见，人烟稀少，田园荒芜，而伤兵的痛苦呻吟和难民的苦难生活，更给他留下了深刻的印象。这次回家，他住了三个月，写了不少诗歌，其中最有名的是《羌村三首》和《北征》。

长安收复以后，杜甫带着家人回到劫后的京城。他仍旧做谏官左拾遗，但仍然得不到皇帝的欢心。不久，就屡遭贬斥，直至被放官华州做司功参军。这是一个管理祭祀、礼乐和教育等方面的地方小官。同他怀抱的政治理想相比，做这样的官已经没有什么意思了。没干多少日子，他就放弃了这个职位。

政治上的不得志，给杜甫带来了更多深入人民生活的机会。从洛阳返回华州的途中，兵荒马乱，满目疮痍。诗人把自己看到的、听到的一切，连同自己亲身经历过的苦难，以深沉悲壮的感情、沉郁顿挫的风格，熔铸成一组辉煌的诗篇，这就是著名的《新安吏》《石壕吏》《潼关吏》和《新婚别》《垂老别》《无家别》。后人称之为“三吏”“三别”。

弃官漂泊

杜甫弃官以后，公元759年，历尽千辛万苦流亡到四川成都。在亲戚朋友的帮助下，他在成都西南郊盖了一所茅屋，这就是现在举世闻名的“杜甫草堂”。漂泊西南的流亡生活也是十分艰苦的，他经常过着“生涯似众人”的日子。但是不论生活上遇到什么困难和挫折，也不论漂泊流亡到什么地方，他总是关注着国家的安危和人民的疾苦。

公元763年，“安史之乱”平息了。这是多么叫人激奋的喜讯！远在四川的杜甫听到官军收复河南、河北的消息时，欣喜若狂，涕泪满襟，情不自禁地脱口成诵：

剑外忽传收蓟北，初闻涕泪满衣裳。
却看妻子愁何在？漫卷诗书喜欲狂！
白日放歌须纵酒，青春作伴好还乡。

即从巴峡穿巫峡，便下襄阳向洛阳。

这首一气呵成、酣畅淋漓的千古佳作，把诗人多少年来郁积心头的愤懑发泄无余，诗人的心早已飞向中原的故乡了。这首诗后来也不知打动了多少在乱世中颠沛漂泊的流亡游子的心！

当自己的茅屋被秋风吹破时，杜甫不仅感叹自己不幸的命运，更想到了天下的穷苦人，于是他发出了这样的宏愿：

安得广厦千万间，大庇天下寒士俱欢颜，风雨不动安如山。呜呼，何时眼前突兀见此屋，吾庐独破受冻死亦足！

他宁愿自己“受冻死亦足”，也希望换取“广厦千万间”，让普天下的穷苦人不再“受冻”而得到温暖。

巨星陨落

然而，诗人晚年的生活却更加悲惨了。公元767年，杜甫一家乘船离开四川，漂流到湖北、湖南一带的水域。他想溯汉水回到长安去，但是命运的风浪却把他的小船抛到了湘江上来。在他生命的最后日子里，他以船为家，有时靠在渔市上摆个药摊，卖一些药物来维持生计。

《风疾舟中伏枕书怀》这首押了三十六韵的长诗，是杜甫的最后一篇作品，是他在病情危重、倒卧在床的情况下写出的。“故国悲寒望，群云惨岁阴。”他知道自己的身体越来越衰弱，北归中原是不可能了。但即使在生命垂危的时候，他也没有忘记蒙在国家和人民头上的灾难：“战血流依旧，军声动至今。”这是诗人对自己的祖国和人民最后的苦恋和怀念。在贫穷和疾病的折磨中，诗人度过了自己生命的最后时刻。就这样，中国文学史上一颗光华耀眼的巨星陨落了。

杜甫一生大约写了3000首诗，现仅存的就有1400余首。唐代是我国诗歌发展的黄金时代，诗人辈出，而杜甫就是他们中间最杰出的代表。他，历来被人们推崇为“诗圣”；他的诗，历来被誉为“诗史”。他的诗写出了时代的现实，表达了他对祖国的无比热爱，对人民的无限同情，对统治阶级罪恶的强烈憎恨。杜甫洋溢着高度爱国主义精神的光辉诗篇，无论是对当时，还是对后世，甚至对历代的中国人民都起着积极的教育作用。

(选自《中国古代爱国者的故事》，作者娄胜亚)

杜甫 (712 年—770 年)，唐朝大诗人。原籍襄阳 (今属湖北襄樊)，曾祖时迁居巩县 (今河南巩县东北)。自幼好学，7 岁能吟诗。一生忧国伤时，诗作对后世影响颇巨，著有《杜工部集》。

所向无敌老将军

——宋初名将杨业的故事

我国在晋朝以后，经历了南北朝、隋、唐几个朝代。到了唐朝末期，天下大乱。后来全中国分裂成许多个小国家，历史上叫作“五代十国”。

这时候，北方契丹族建立了辽国。辽国贵族占领了北方的大片土地，辽兵屠杀百姓，抢劫财物，人民群众恨死了这帮家伙，纷纷起来反抗。

当时山西一带的北汉国，有一个军官，名叫杨业。

杨业从小爱好骑马射箭，十几岁时，他就练成一身好武艺，射箭时左右开弓，百发百中。

杨业领兵跟辽国骑兵作战，每一次都把辽军打得大败。大家看他本领这样高强，便送给他一个亲切的称呼——“杨无敌”。

后来，北汉归顺了宋朝，全国统一了。这时候，杨业已经是一位 50 多岁的老将了。宋太宗看他作战勇敢，经验丰富，便叫他防守北方边境。

杨业以身作则，士兵们吃什么，他也吃什么。大家都很热爱他，都愿意听从他的指挥。老将军人老心不老。北方的冬天，天气非常寒冷，杨业却只穿一身单薄的衣服，军营里连炉子也不生。他的几个儿子也跟随在他身边，打起仗来个个生龙活虎。

有一次，辽国出动 10 万大军，侵犯长城的雁门关。杨业手下只有几千骑兵。力量相差这么大，怎么抵抗辽军呢？老将军知道，用几千人跟10万辽军硬拼是一定会吃亏的。他采取出奇制胜的战术，亲自带领人马，悄悄地通过一条小路绕到雁门关北面，从背后咬住辽军的尾巴。

辽军正在得意扬扬地顺着大路向南前进。一路上没遇见一个宋军，他们还以为宋军胆怯，早已逃走了呢。想不到一阵鼓响，突然从背后杀出一支军队，带头冲过来的就是“杨无敌”。辽军大吃一惊，不知道宋军是从天上掉下来的，还是从地下钻出来的，又不知道宋军到底有多少人马。10万辽军惊慌失措，竟被几千宋军杀得落花流水。辽国的驸马萧多罗当场被杀死，将军李重诲也被活捉。经过这次战斗，辽军更加害怕杨业了。只要在远处看见“杨”字大旗，就吓得赶快逃跑。杨老将军的威望越来越高了。

几年后，辽国的老国王死了，新即位的国王年纪轻。宋太宗趁这个机会，向辽国发动了一次大规模的进攻。

宋军分兵三路，浩浩荡荡地前进。西路的主将是潘美，杨业担任副将。大军出了雁门关，向北进发。收复失地的机会到了，杨老将军多么兴奋呀！他率领的将士们个个英勇善战，不到两个月，就攻下了4个州，收复了山西北部的全部失地。

“杨无敌”这支军队的先锋，就是杨业的儿子杨延昭率领的。他率军猛攻朔州城的时候，城上的敌人向他射来一箭，箭头嵌进了肉里。杨延昭咬着牙根，把箭一拔，继续战斗，最后把朔州城攻下来了。

西路军连战连胜，中路军也收复了一些地方，可是东路军却吃了大败仗。形势转变了，宋太宗不得不下令放弃已经收复的四个州，叫潘美、杨业护送四个州的百姓撤退。

辽军听说宋军要撤退了，便迅速集合10万精兵，乘势向宋军反攻。

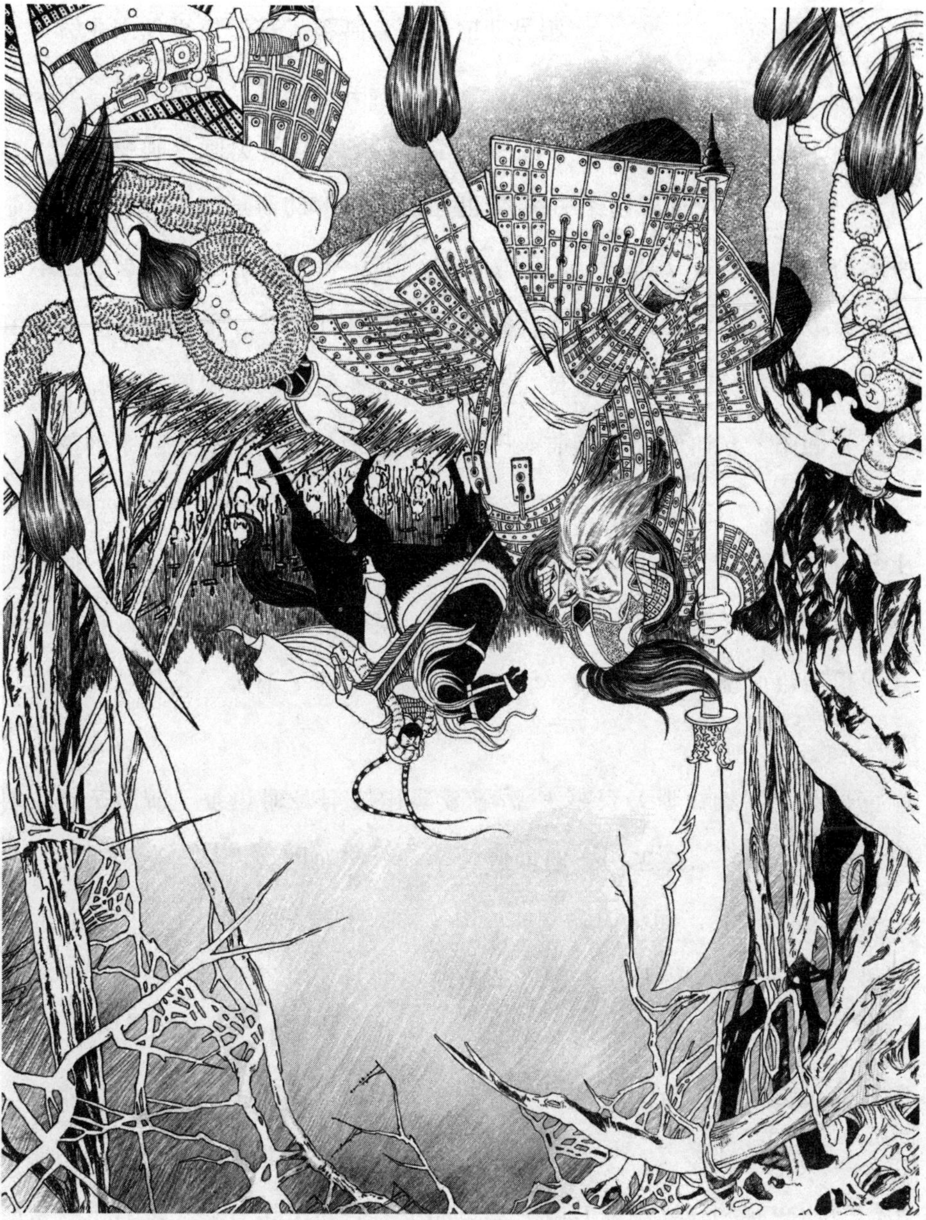

杨业根据当时的形势，认为敌强我弱，不能跟敌人打硬仗。他向潘美提出一条计策，就是出兵攻打辽军的后背。当辽军掉转头来迎战时，四个州的老百姓也就好乘机撤退了。

谁知潘美和监军王侁，妒忌杨业的功劳，想利用这个机会搞垮杨业的部队。他们不仅不接受杨业的意见，反而硬要杨业从雁门关打出去，同辽军的主力硬拼。杨业明知道这样做就没法完成掩护百姓撤退的任务，他坚决反对说："不行，这样等于送肉上钩，非吃败仗不可。"

王侁冷笑一声，质问他说："大家都叫你'杨无敌'。今天碰上敌兵，你不肯去迎战，难道你有什么用意不成？"王侁这样血口喷人，老将军哪里受得了！

王侁是监军，是代表皇帝来监督军队的。杨业知道再跟他辩论也没有用处，只好把心一横，愤慨地说："我杨业决不贪生怕死。只是形势对我们不利，我不愿意叫将士们白白送死罢了。现在你既然这么说，我也顾不得许多，领兵向前就是了。"

军队来到了陈家谷口。陈家谷口是一个地势险要的地方。中间是羊肠小路，两面是高山峻岭。杨业指了指谷口，对潘美和王侁说："请你们派1000名弓弩手，埋伏在谷口两边。如果我转战到这里时，也好有个接应。"交代了这番话，杨业连头也不回，领着人马，奔向前方杀敌去了。跟随杨业一起作战的，还有他的儿子杨延玉和73岁的老将王贵。

辽军统帅看到杨业军队人数很少，企图依仗自己人多，一下子吃掉这支军队，便在路上布置了伏兵。

杨业率军奋勇前进，受到辽兵的四面包围。

辽国贵族虽然害怕杨业，但心里钦佩他的英勇善战。辽军统帅下达了号令：不准杀害杨业，一定要将他活捉。

杨业和手下的将士们虽然英勇，但终究寡不敌众，打了一阵硬仗，只得边战边退。杨业对战士们说："只要我们再坚持一下，到了陈家谷口便会得到接应。这样就可以脱身回去，将来再为国家出力。"杨业率领将士们一路浴血战斗，突破了重重包围。从中午一直到黄昏，好不容易看到陈家谷口就在面前，杨业这才松了一口气。但陈家谷口却冷冷清清的，连一个人影也没有。

约好在这里接应的宋军哪里去了？原来王侁守在谷口，等了好长时间，不见动静。他派人爬上高地一看，只见远处尘土飞扬，王侁以为辽兵已被杨业打败，怕杨业独揽大功，赶紧引兵前进，想去争功。走了20多里，忽然传来杨业兵败的消息，王侁是一个贪生怕死的家伙，他赶快掉头，丢掉陈家谷口，跟潘美一起溜走了。

一看到陈家谷口没有宋兵接应，老将军气愤到了极点。他早已把生死置之度外，只恨奸臣把将士们的生命当儿戏，竟把一支身经百战的精兵队伍推上了绝路。杨业激动地对将士们说："你们都有父母妻儿，不必跟着我白白牺牲。赶快想办法留条性命，回去也好向朝廷报告消息。"这时剩下的宋军只有100多人了。大家听了杨老将军的话，感动得流下了眼泪，但没有一个人肯丢下老将军，自己去逃生的。

一场气壮山河的战斗在陈家谷口前展开了。将士们虽然已经筋疲力尽，但还是勇猛冲杀，表现了视死如归的英雄气概。杨延玉战死了。老将王贵一连射死了几十个辽兵。箭射完了，敌人扑了过来，他拿弓打倒了几个敌人后壮烈牺牲。

辽军根据统帅的命令，一心想活捉杨业，因此对他不敢施放冷箭。

将士们全部倒下去了，杨业身上也受了几十处伤。杨业亲手杀伤了几十个辽兵，不幸他的马儿受了伤，将他掀翻在地。杨业只好闪进附近的一片树林里。辽军的一个将领看见树林里闪过杨业的影子，想前去活捉，但又不敢接近。他顾不得命令，远远地射出一支冷箭。杨业中箭倒在地上，最后落到了辽军的手里。老将军长叹一声说：“我一心想尽忠报国，想不到被奸臣陷害，把我逼到这个地步。现在我兵败被俘，还有什么脸面见人！”杨业不吃也不喝，三天后便去世了。这位奋战一生的老将军，就这样坚贞不屈地献出了自己的生命。

杨业死后，他的儿子杨延昭和孙子杨文广继承了他的事业，守卫边疆，英勇奋战，成为了宋朝的名将。人们把杨家将的英雄事迹编成了小说和戏曲，一直流传到今天。

（选自《中国古代爱国英雄故事》，马允伦编著）

杨业（？—986年），北宋著名将领，并州太原（今山西）人。率兵抗辽军屡立战功，号称“无敌”。后受重伤被俘，绝食而死。其子延昭、延浦、延训等均为宋官。后世编写戏剧、小说“杨家将”的故事，系据其祖孙三代事迹渲染而成。

先天下之忧而忧

——政治家范仲淹的故事

“先天下之忧而忧，后天下之乐而乐。”这是宋朝的政治家、文学家范仲淹平时爱说的两句话，也是他一生经历的写照。

贫困好学

范仲淹从小丧父，生活很清贫，但是他很有志气，毫不气馁。在贫困中他刻苦学习，往往一天只喝两顿粥。深夜倦怠，就用冷水冲一冲脸，继续苦学。在应天府睢阳学舍读书时，有一次，宋真宗赵恒路过那里，学生们蜂拥前去，只有范仲淹继续留下来读书，没有去看皇帝的“大驾”。有人惋惜他失掉了一个好机会，他回答说：“将来再见也不算迟。”睢阳留守的儿子见他这样有志气，又看他平时只喝粥充饥，很受感动，把他的事迹告诉了自己的父亲。留守特地吩咐给范仲淹供应官家的食物，但他坚持喝粥，以致食物变馊了。留守的儿子很奇怪，问范仲淹：“家父听说你十分清苦，送给你食物，你却不吃，这是什么道理呢？”范仲淹说：“我对于这份厚意并不是不感激，但我久已习惯喝粥，如今突然享受精美的食物，将来怎么过得惯喝粥的苦日子呢？”

这样艰苦的日子在睢阳一过就是5年，这期间他获得了许多真才实学。

崇高风节

从年轻时起，范仲淹就十分注意大节，慨然有志于天下。每当议论到天下大事时，他总是慷慨激昂。范仲淹刚直不阿，办事负责，不因个人利害关系而妥协。他常常说：“做事就得这样，至于是否成功，不全是我所能决定的，即使圣贤也不能一定成功，难道我可以马马虎虎、得过且过吗？”

范仲淹的生活很朴素，做官所得的俸禄往往用来接济四方游士。致使子侄辈只能轮流换穿好一点儿的衣服出门，他却怡然自乐，毫不在意。

在贫贱之中，范仲淹不为利欲所动。他年轻时曾借住在一个僧寺中读书，发现房中埋藏着一瓮白银，就不声不响地把它掩盖起来。几十年后，范仲淹做了大官，寺里的僧人为了翻修房屋，派人向他募捐，他仅仅回了一封信。僧人开始时怏怏不乐，大失所望，等到看了信后，果然在原处找到了整整一瓮白银，这时才深感范仲淹的品质可贵。

富贵了，范仲淹同样不为利欲所动。他在苏州做官时，在南园地方买了一块地，准备造屋居住。请来的先生看了风水，说这里将来必定连着出公卿。范仲淹听后，说道：“与其我一家富贵，倒不如让天下之士都受到教育，这样的富贵才是无穷的。”于是，他就在那里修建郡学的学舍，后来成了江南最好的学校。

直到晚年，范仲淹始终保持着这种品质。在杭州做官时，他的身体越来越差，子弟们主张到洛阳去造个花园，让他养老享福。范仲淹说：“如果有道义之乐，那么连形骸都可以忘怀，何况居室呢？我60多岁了，剩下的岁月已经不多，还修建什么花园！”

度量似海

范仲淹十分熟悉民生疾苦，关怀国家命运，敢于直言不讳地对朝政得失、社会时弊提出意见。有一次，江淮和京师东京（今开封）以东发生自然灾害，他奏请宋仁宗赵祯派人前往巡视，安排救灾，朝廷不置可否。范仲淹严正地指出："陛下在宫中要是半天不吃喝是什么滋味？眼前有好几个地方遭灾缺粮，怎能置之不问，不加抚恤？"不久，宋仁宗就派他前去主持救灾工作。

公元1035年，范仲淹被调到京师出任天章阁待制，他对朝政提出的意见更加尖锐了。吕夷简派人暗示他说，待制是皇帝左右的侍臣，不是言臣，劝他不要再议论朝政。范仲淹回答说："评论朝政得失正是侍臣分内之事，我敢不努力去做吗？"吕夷简无法说服他，就设下一计，任命他为京师东京开封的知府，想用繁重的公务来缠住他，使他没有时间去议论朝政，一有过失，就可以罢免。但是范仲淹精明强干，决事如神，把一个开封府治理得井井有条。老百姓的民谣说："朝廷无忧有范君，京师无事有希文。"同时，他照样议论时政，批评吕夷简使用人才不公道。吕夷简很恼火，找了一个借口，把他贬谪到外地当地方官去了。

3年后，范仲淹恢复天章阁待制职务，担起对付西夏的军事重任。路过京师时，宋仁宗劝他同吕夷简消释前嫌。范仲淹郑重地说："我从前议论的是国家大事，同夷简并无芥蒂。"后来，范、吕两人的关系果然很好。

为国御敌

公元1028年10月，西夏统治者赵元昊自称皇帝，向宋朝的延州（今延安）等地发动进攻。西夏是西北羌族建立的政权，统治者历来是宋朝的地方官。朝廷决定免去赵元昊的官职，派范仲淹会同韩琦主持防御西夏的军事行动。

范仲淹到陕西后不久，就前往同西夏对峙的前沿地带。那里不久前曾遭受过西夏的进攻，形势孤立，人心不稳，随时准备逃亡。朝廷派去的官员都寻找各种各样的借口，避免前去。范仲淹却决定亲自留下来，负责延州一带的防务。当时按照规定，部署统率万人，钤辖统率5000人，都监统率3000人，如果敌人前来进攻，就依次由职位低的将领首先出战。范仲淹认为，不根据敌兵的多寡强弱而按照官职的大小为先后出兵顺序，这是取败之道。于是他经过挑选，把延州的军队分为6支，每支3000人，由一个将领指挥，平时负责训练，遇到敌人进攻，就根据敌方兵力强弱相机出战。从此，西夏军队就不敢轻易发动进攻了。

后来，范仲淹又被调去指挥环庆一带的防御工作。在那里，他争取到了一部分羌人的归顺，修筑了大顺城，仔细巡查了胡卢等前沿据点，提高了军队的士气，加强了防御。边境上的士兵说："军中有一范，敌人闻之惊破胆。"范仲淹日夜操劳，终于挡住了西夏的进攻。大约就在这时，他写下了一首著名的词《渔家傲·秋思》：

塞下秋来风景异，衡阳雁去无留意。
四面边声连角起。千嶂里，长烟落日孤城闭。
浊酒一杯家万里，燕然未勒归无计。
羌管悠悠霜满地，人不寐，将军白发征夫泪！

从这首词里，可以看到范仲淹渴望为国御敌立功的心情。

革新弊政

公元1043年，范仲淹被调回朝廷任参知政事，同富弼等人共同主持了历史上著名的"庆历新政"。这一时期，他慨然以天下为己任，提出了一系列改革措施，立志改变宋朝长期以来积贫积弱的局面。在范仲淹提出的改革建议中，除了"厚农桑""减徭役"等发展社会生产、减轻农民劳役负担的措施外，特别重视改革当时的吏治，主张根据"经世济用"的真才实学而不是恩荫来选拔人才，按照实际表现而不是按年资决定官职升降，撤除贪污无能的官吏。

为了整顿吏治，稳定封建政权，范仲淹十分重视各地的地方官是否胜任。有一次，他拿出全国各路监司的名册，逐一审查，凡是不称职的官员，就毫不客气的一笔勾掉，再换上适当的人选。

“庆历新政”在反对派的攻击下很快就失败了，主持者范仲淹谪守邓州。公元1046年9月15日，范仲淹应谪守巴陵的朋友滕子京之请，写了一篇《岳阳楼记》。在这篇文章中，他以千钧笔力，写下了平生几起几落而始终坚持不渝的信念：“先天下之忧而忧，后天下之乐而乐。”

这两句话，不仅概括了范仲淹一生坚持进步理想、以天下为己任的高风亮节，而且道出了中华民族历史上一切不计个人富贵、贫贱、毁誉、欢戚，为国家民族事业而献身的志士仁人共同的高尚情操。

(选自《中国古代爱国者的故事》，作者董进泉)

范仲淹（989年—1052年），北宋著名的思想家、政治家、军事家、文学家。字希文，苏州吴县人。主张注重农桑，推行法制，减轻徭役，遭保守派反对，不能实现。后赴颍州途中病死。工于诗词散文，有《范文正公集》。

誓与邕州城共存亡

——爱国志士苏缄的故事

公元1075年11月，交趾（今越南）纠集以李常杰为首的8万侵略军，从水陆两路，入侵钦州和廉州地区。他们杀死了广西壮、汉各族人民10万余人，掳去妇女8万多人，到处杀人放火，灭绝人性，激起了南疆各族人民的无比愤怒和坚决抗击。

同年腊月，交趾侵略者见当时的宋朝廷忙于抵御北方契丹族的南侵，南疆防守薄弱，便乘机进犯广西南部重镇邕州（今南宁）。

当时邕州知州苏缄，指挥邕州壮、汉各族军民，同仇敌忾，奋力抵抗，进行了一场无比壮烈的邕州保卫战。

敌人8万大军压境，而邕州守军只有2800人，敌我力量对比悬殊。苏缄主持召开有关军政官员和城内父老代表的会议。会上，苏缄冷静地分析军事形势说："目前，城内守军虽然只有2000多人，但邕州城内壮、汉同胞近10万人，只要我们把全城的群众都组织起来，编成战斗队，配合守城军队，共同打击敌人，我们一定能把邕州守住，决不让敌人的魔爪伸进邕州城。"

连日来，苏缄深入各条街道，将年轻力壮的人编成战斗队，发给武器，连妇女也被组织起来，担任警卫和运输工作。他家里大小一共36人，除了几个小孩老人外，也全部编进战斗队，全城群众很受感动。官兵、军民们一条心，下定决心与交趾侵略者血战到底！没有一个群众离开邕州城。当时苏缄的大儿子子元任桂州（今桂林）司户，因公事带着他的妻子来邕州，还没来得及回去，敌人已经包围了邕城。苏缄怕人们说苏家的人疏散，影响群众情绪，便决定只让子元单独一个人回桂州，其妻儿留在邕州，同邕州人民一起作战。

农历腊月下旬，敌军从水陆两路进攻邕州城。苏缄领导的邕州保卫战开始了。苏缄先挑选了一批勇猛的弓箭手，到城外和敌军作战，打退了敌军的多次围攻，杀死了两个侵略军的头目，并割下了他们的头，在街头示众。开头一仗旗开得胜，大大鼓舞了全城军民的士气。

不久，敌军把邕州城周围的四个要塞攻占了。接着全面包围了邕州城。邕州城士兵和民众退守城内。一连好几天，由于邕州城军民的顽强抵抗，敌军始终不能靠近城墙。

后来，敌军用云梯攻城。苏缄身穿军服，手执弓箭，亲临前线，在城头上组织一批弓箭手，专射敌军云梯。

白天，在城头上，人们可以见到身材高大、臂有神力的苏缄，拉起强硬的铁弓，发出一支支利箭，箭箭射中妄图登上城墙的敌军。晚上，苏缄亲自挑着热粥、姜糖水，慰劳守城的战士。全城军民都深受感动。

半个月时间过去了，8万敌军仍然被挡在城外，一个也进不了城。敌军眼看用云梯攻城失败了，于是又挖隧道，想从壕洞中攻入。敌军的诡计很快被苏缄发觉，他动员城内的居民开沟渠，引城内池塘的水，灌“老鼠洞”。敌军从哪里挖进来，水就灌到哪里，弄得敌军一点儿办法也没有。

敌军围城40天，毫无进展，敌将李常杰恼羞成怒，下命令发动一次“人海战术”，用“囊土傅城”的办法攻城，即把泥土堆得和城墙差不多一样高，开出一条登城墙的“路”。这样，敌军就像潮水一般涌进了邕城。这是邕城保卫战的第42天。

苏缄立即下了一道命令：“各自为战，与敌搏斗，誓与邕州城共存亡！”

于是，一场壮烈的肉搏战开始了。

苏缄脱下棉衣，穿上了一件单衣，腰间系上腰带，提着两把大刀，带领知州府中的卫队，冲到街头，与敌人浴血奋战。

苏缄抡起大刀，向来犯的敌人砍去，不一会儿，就杀出了一条血路来。最后，由于力量对比悬殊，援军未到，城内又“粮尽泉涸”，城内守军已近全军覆没。

苏缄杀到天黑，身负重伤，确实力不能支了。但他一想到凶残的敌军，心中便燃起冲天的怒火，他激昂高呼道：“我死也不能死在敌人的手里!”

他退回州府里，把大门关上。他的夫人及子孙们见他一身血淋淋的，个个都拥上来，扶着他哭泣。他握着夫人的手，说：“你不要难过，我的血流得有价值。”他把他一家大大小小36个人召集起来，对他们说：“现在，敌军已打到门外，邕州军民发誓打到最后一刻! 我们要履行我们的誓言，要与邕州城共存亡。死，也不投降! 死，也不死在敌人手中!”

苏缄指挥他的家人搬来干柴草，堆在州府的厅堂里，然后全家人都站在柴火堆旁，苏缄高喊一声：“让我们在烈火中永生吧!”说完点燃大火，全家壮烈殉国!

嗜血成性的交趾侵略军，立即在邕州实行了最野蛮的大屠杀，一共杀死百姓58000余人，并纵火焚烧房屋，把整个邕州城夷为了废墟。

敌军占领邕州城还不到两个月，宋王朝调集军队10万，从湖南出发，反击交趾侵略者。广西各地的壮、汉各族人民，出动约87万人，参加了反侵略战争，很快就收复了邕州，接着又光复了钦州、廉州，把侵略者全部赶了出去。事后，宋神宗知道苏缄一家壮烈殉国，深受感动，下令全国嘉奖，并为他建了祠堂，以作纪念。

(选自《爱国人物故事选》，作者苏长仙)

苏缄 (1016年—1076年)，北宋爱国官吏，晋江 (今福建泉州) 人。1038年中进士，曾任英州 (今广东英德) 知州、廉州及鼎州知州，后任邕州知州。在率军反击外敌入侵的战斗中身负重伤后，率全家自焚。

祖宗疆土，当以死守

——宋代大臣李纲的故事

北宋末年，东北部女真族建立的金朝逐渐强大起来。

宋朝皇帝徽宗是一个昏庸的人，金朝统治者看穿了宋朝的腐败无能，消灭辽国以后，便转过头来进攻宋朝。金兵占领了许多地方，直逼北宋都城东京（今河南开封）。

前线失败的消息传来，宋徽宗吓得昏了过去，他赶快把帝位让给太子，自己逃到南方去了。

朝廷的官员里面，有的主张坚守都城，积极抵抗金兵；有的主张丢掉东京，向南方逃跑。主战派和逃跑派在皇宫里展开了一场激烈的辩论。

主战派首领李纲是一位性格刚直、敢作敢为的大臣，他从青年时代起就关心国家大事。他曾经多次向宋徽宗上书，要求改革政治，积极加强国防力量，但都没有被接受。这时候他又挺身而出，慷慨激昂地说："祖宗疆土，当以死守，不可以尺寸与人。"

逃跑派里有个叫白时中的，质问李纲说："你天天说要保卫东京。我问你，天下这么大，一个东京算得了什么？"

李纲一听，怒不可遏，马上反驳说："土地是国家的根本，土地丢光了，还有什么大宋？天下虽大，最重要的是都城，都城一失，整个天下就会震动。你这番话不是正迎合金人的口味吗？”

宋钦宗叫大家不要再争论下去，命令白时中、陈良弼两人去视察城防。他们转了一圈，回来故意把情况说得很糟糕。宋钦宗更加下定决心要逃跑。

李纲眼看形势危急，为了国家的安全，在一次朝廷召开的会议上，他对宋钦宗说：“都城的防御力量虽然薄弱，但我们还有几十万军民。只要把大家组织起来，同心协力做好防守准备，是能够击退金兵的！”

宋钦宗问：“那么谁去领兵御敌呢？”

白时中接上去说道：“李纲，你口口声声说有办法保卫都城，你有胆量跟金兵打仗吗？”逃跑派本想用这样的话吓唬住李纲，不料李纲胸膛一挺，斩钉截铁地说：“如果皇上信任我，我愿意誓死保卫东京！”

逃跑派被说得哑口无言。宋钦宗不得不任命李纲主持城防工作。宋钦宗虽然表面上这么做，但内心还是想逃跑。晚上，宋钦宗偷偷地准备好了逃跑用的车辆。

第二天天一亮，李纲跑到皇宫门口一看，只见皇帝的卫队已经排好队伍，宋钦宗和宫里的人正在准备上车呢。李纲气愤极了，便跑过去高声问卫队的士兵们：“你们愿意保卫都城，还是愿意逃跑？”

士兵们齐声说：“我们情愿死守东京！”

李纲受到鼓舞，便不管一切地跑过去，激动地说：“皇上不能走啊！金兵离我们这么近，皇上能走，金兵就不能追吗？”宋钦宗一听，此话有理，他只得硬着头皮，暂时放弃了逃跑的计划。

李纲全力布置城防工作。他依靠军民的支持，只用了几天时间，就修理好了残破的城楼，还在城墙上安置了大炮、弓箭、檑木、砖石和火油。城墙的每一面布置守兵12000人，每百步一队。整个都城很快改变了面貌。

李纲布置停当以后，不几天，金兵就来了。夜色苍茫中，金兵乘坐大批战船，沿着汴河，直向东京水西门驶来，船上装满了引火用的东西，他们企图偷偷放火进攻城门。

李纲指定一个将领率领2000多名壮士，出城破敌，并把自己想好的计划告诉他。天色黑下来了，他们悄悄地翻过城墙，埋伏在城外的汴河边。

金兵的战船靠近了，壮士们一声呐喊，一齐冲了出来。他们先拿带钩的长杆钩住敌人的船只，狠命把敌船拉向岸边。接着，一齐用准备好的大石头朝着敌船猛擂过去。船上的金兵刚要还击，黑暗中，大石头已经雨点般地飞了过来，打得他们头破血流，惊慌失措。敌船被长钩钩住，又被放在河底的岩石堵住，进不能进，退又不能退。壮士们奋力跳上敌船，抡起大刀，猛力砍杀，把金兵杀得叫苦连天，金兵进攻水西门的阴谋失败了。

金兵的将领在水西门碰了钉子，便转攻酸枣门。金兵乘木筏渡过护城河，在城墙边架起云梯攻城。敌人人多势众，像蚂蚁一般死命地朝城头上爬，有的已经爬上了城头。

形势非常危急，李纲得知消息，马上赶到酸枣门，亲自指挥战士们奋力守卫。看到李纲亲临前线，将士们个个勇气倍增，城头上展开了一场激烈的肉搏战。李纲组织一批弓箭手，朝着正在爬城的金兵猛射，战士们带着愤怒，狠狠地射出箭去，金兵纷纷从云梯上跌了下来。已经爬上城头的金兵失去后援，全被宋军歼灭了。

金兵被打退了，城外暂时又静寂了下来。李纲知道金兵是决不会甘心的，他不顾疲劳，立即观察了阵地。接着，他把守城的将士分成三部分，吩咐如果金兵再来，就用擂木去打靠近城墙的金兵；用硬弓射远一点儿的金兵；用大炮轰击更远的金兵。

果然，金兵集中全部兵力，又来攻打酸枣门了。金兵的箭像飞蝗一般向城头射来，宋军不少人当场被射死。李纲说：“只有毁掉金兵的云梯，才能彻底打退金兵的进攻。”

他挑选了几百名身强力壮的壮士，用绳子缒到城下。壮士们不管金兵的乱箭，奋不顾身地点火烧了云梯。金兵又一次被打退了。

这时候形势逐渐好转，从陕西赶来的援军已经到了，其他各路援军也陆续向东京进发。金兵将领看到东京防守如此严密，捞不到半点儿便宜，不免有些泄气，打算引兵回去。

李纲向宋钦宗提出请求：宋军打了几次胜仗，正是士气旺盛的时候，应该一鼓作气，彻底消灭城外的金兵。但胆小如鼠的宋钦宗非但不同意李纲的意见，反而急于派使者向金军求和。

金兵将领喜出望外，便向宋朝提出几个退兵条件：宋朝要送去大量金银财宝，还要割让大片土地给金朝。

打了胜仗竟要割地赔款，实在太叫人气愤了！李纲赶到宋钦宗那里，对宋钦宗说：“我们的援军陆续赶到了，老百姓也不断起来反抗。我们只要等金兵撤退渡黄河的时候发动猛攻，一定可以把金兵消灭干净！”

宋钦宗不但不听李纲的意见，反而下令搜刮民间的金银财宝，恭恭敬敬地送到金兵大营。

宋钦宗不信任李纲，他信任的是主张投降卖国的投降派。投降派为了投降卖国，认为李纲阻碍了他们的手脚，把他视作眼中钉，千方百计地寻找借口将李纲赶出了朝廷。

东京城里的老百姓和爱国人士们气愤极了。有一个叫陈东的带了几百名太学生，一齐拥到皇宫门外，向宋钦宗上书请愿，坚决反对割让土地，要求恢复李纲的职位。东京的老百姓听说太学生们已经行动，一传十，十传百，一会儿工夫，就有几万人自动集合到了皇宫门外。

宫门紧闭，禁卫森严，一心投降屈服的宋钦宗和投降派的大臣们，根本不理睬老百姓的要求。人群里爆发出阵阵愤怒的吼声，大家跑到立在皇宫外的大鼓前，拿起鼓槌就擂，一下子就把鼓皮给擂破了。刚巧投降派头子、宰相李邦彦退朝出来，他还想摆出宰相的架子威吓老百姓。百姓们一面高声痛骂，一面拿起石子朝他扔了过去，李邦彦抱着头，吓得脸色苍白，赶快逃回到宫里去了。

在爱国军民的强大威力面前，宋钦宗也慌了手脚，不得不重新起用李纲。李纲复职后，又一次布置城防，组织战斗。军民们非常兴奋，大家争先杀敌。

这时，各地援军也陆续赶来了。金兵见势不妙，没等宋朝廷将金银财宝凑足，在城外掳掠了一阵以后，便仓皇退兵了。李纲在军民们的全力支持和拥护下，取得了保卫东京城的辉煌胜利。

（选自《中国古代爱国英雄故事》，马允伦编著）

李纲（1083年—1140年），宋代抗金名臣，邵武（今属福建）人。政和时进士，高宗即位，用为宰相，在职仅70天，被排斥落职，后任湖广宣抚使等职。多次上疏陈述抗金大计，均未被采纳。著有《梁溪先生文集》等。

孤忠悬白日　英雄万古冤

——著名将领岳飞的故事

风景秀丽的西子湖畔，苍翠葱郁的栖霞岭下，耸立着一座巍峨的岳王庙。庙里的精忠园是南宋著名的抗金将领岳飞长眠的地方。岳飞慷慨悲壮的英雄故事，800 多年来一直在人民群众中口耳相传，为绚丽多姿的湖光山色增添了异彩，也为悠久的祖国历史谱写了光辉的篇章。

良将出寒门

岳飞出身于相州汤阴(今河南汤阴) 的一个农民家庭。他出生时，刚巧有一只大鸟从屋顶上飞过，父亲岳和就给他取了个单名叫“飞”，字“鹏举”，意思是“举翅高飞，鹏程万里”。

岳飞出生后不满一个月，家乡遭了一次大水灾。从此，他那个本来就不富裕的家庭，陷入了贫困的境地。岳飞童年时期就参加劳动，常到野地里去拾柴割草，后来又学会了耕田种地。他在劳动中受到磨炼，锻炼出了健壮的体魄和坚强的意志。

岳飞自小喜欢学习武艺，劳动之余常舞棒弄枪、挽弓射箭，曾经拜师学习弓箭和枪法。他虚心求教，勤学苦练，练得一身好武艺，不满 20 岁时，就能拉开 300 斤的硬弓了。

除了习武，岳飞还爱读书，尤其爱读《孙子兵法》《吴起兵法》之类的兵书。晚上，他点燃干柴照明，往往孜孜不倦地读到深夜。

良将出寒门。岳飞少年时代的生活经历，对他以后成长为一名智勇双全的良将是颇有影响的。

崭露头角

岳飞青年时代正值北宋末年，正是风云变幻的动荡岁月。

1125 年，北方日益强大起来的女真族建立了金朝，金灭辽之后，乘胜南下，矛头直指宋朝。从此，开始了相持几十年的宋、金战争。

金朝的军队第一次围攻宋朝京城东京 (今河南开封) 没有得手，1126 年又跨过黄河，直逼东京。这时候，腐败无能的宋徽宗因为害怕金兵南进，把皇位传给了儿子赵桓，即宋钦宗。赵桓面对兵临城下的局面，急得像热锅上的蚂蚁。于是，委任他的弟弟康王赵构为“天下兵马大元帅”，让他到相州 (今河南安阳) 招募兵士，以解东京之围。

国难当头，岳飞认为这正是实现自己以身许国愿望的良机，他毅然应募，参加了赵构统帅的军队，就此开始了他 15 年悲壮动人的抗金戎马生涯。

一个寒冷的冬天，岳飞带领 100 多名骑兵正在冰冻的黄河上操练。忽然，大队金兵踏着冰，向岳飞的队伍急驰而来，势头很猛。岳飞见已躲闪不及，就沉着地对部下说：“目前敌众我寡，但金兵还摸不清我们的虚实，不妨趁敌军喘息未定，打他个措手不及!”说完，他独自飞马向金兵冲去，手起刀落，金将的脑袋应声滚下。岳飞的骑兵也一拥而上，一阵猛砍，杀得金兵纷纷丢盔弃甲而逃。

岳飞谙熟兵家“出其不意，攻其无备”的战术，在最初的战斗中就崭露头角，显示出非凡的军事才能，被提升为秉义郎的军职。

然而，在宋朝的军队中，像岳飞这样勇敢善战的将士毕竟是少数。1127 年 (靖康二年)，金兵攻破东京，将京城劫掠一空。随后，胁迫徽、钦二帝和皇族、大官等3000多个俘虏到北方去。腐朽的北宋终于灭亡了。

“精忠岳飞”

1127年5月，康王赵构在应天府(今河南商丘) 即位做了皇帝，即宋高宗，改元建炎，南宋政权建立。宋高宗和徽、钦二帝一样怯懦，对日益南下的金朝铁骑畏惧如虎。他不顾国家和民族的利益，听信主和派的主张，打算往东南逃跑。

岳飞按捺不住气愤的心情，勇敢地写出了数千言的奏疏，希望宋高宗不要辜负中原父老恢复失地的期望，要求他回到东京，主持北伐大业。岳飞的要求代表了当时南宋人民的一致呼声。但是这个建议竟触怒了主和派，他们给岳飞罗织了“越职言事”的罪名，革掉他的军职。苟且偷安的宋高宗终于离开烽火连天的北方，把南宋小朝廷迁到了南方繁华的扬州。

“欲将心事付瑶琴。知音少，弦断有谁听?”岳飞一腔爱国热情换来的却是无情打击！但是岳飞毫不气馁，他所记挂的不是个人的进退荣辱，而是国家的命运和民族的存亡。当他听说河北招讨使张所正在招募义士准备反攻时，又振作起来，立即投奔张所。张所问岳飞：“你能敌得过几个人?”岳飞说：“勇不足恃也，用兵先在定谋。”张所很赏识岳飞，派他任统制。

这年秋天，岳飞率领队伍渡过黄河，与金兵接连展开激战。队伍乘胜挺进，一直深入到太行山下。后来，岳飞又投奔守卫东京的名将宗泽，转战于黄河南北，屡建战功。

懦弱无能的南宋小朝廷坚持妥协投降的政策，金兵则乘机进一步南进。1129年，金朝铁骑跨过黄河，把战火一直烧到南宋政权所在地扬州。赵构继续仓皇向南逃往临安 (今浙江杭州)。金兵跟踪进逼。

时局相当混乱，岳飞的军队已和南宋朝廷失去了联系，成为一支孤军。岳飞不畏艰险、独当一面，与金兵战斗。那年年底，岳飞的军队和金兵先后交锋6次，都打了胜仗。金兵一听到是岳飞的军队，闻风丧胆前后来归附者有上万人。

金兵追赶宋高宗，一直追到浙江沿海，因为不习水战，没能实现俘虏宋高宗的计划。在临安等地大肆掳掠了一番，开始从江南北撤。

金兵刚撤退到常州，岳飞就出击了，四战四捷，打得金兵惨败。不久，又收复了镇江和建康（今江苏南京）。“岳家军”声威大震。

这时，宋高宗已回到临安，为了表彰岳飞抗击金兵、忠于朝廷的忠义行为，特地赐给他一面军旗，上面绣着4个赫赫大字：“精忠岳飞”。

“撼山易，撼岳家军难!”

“靖康耻，犹未雪；臣子恨，何时灭。”岳飞念念不忘抗金收复失地的大业。1134年，他主动向金朝扶植的傀儡刘豫“大齐”政权出击，3个月内连续收复襄阳、郢州等6州。捷报传来，将士士气大振。两年后，岳飞又率领军队深入河南西部，先后攻下虢州（今河南陕县）、长水（今河南洛宁西南）。

这时候，宋高宗偏安江南，过着荒淫糜烂的生活，“直把杭州作汴州”，早已乐不思返了。他任用主和派秦桧为宰相，向金朝求和。岳飞坚决反对议和，主张将抗战进行到底。他不计个人安危，几次上书申言：“金人不可信，和好不可恃”，并抨击奸臣误国。因此，被秦桧一伙投降派恨之入骨。

1140年，签订和约1年多时间，金朝就撕毁合约，向南宋发动了大规模的军事进攻。宋高宗见偏安的局面不能维持，只好被迫应战。

岳飞接到命令挥师北上，岳家军以锐不可当之势，一连收复好几座城池，“精忠岳飞”的战旗所向披靡。这年7月，岳飞亲自率领一支轻骑进驻郾城。经过一场短兵相接的搏战，金朝名将金兀术遭到大败，锐气大伤。

郾城大捷之后，岳飞乘胜向朱仙镇进军。朱仙镇离金军汴京大本营仅有 45 里，金兀术慌忙调集 10 万大军前来抵挡。可是郾城一战以后，金兵已成了惊弓之鸟，岳飞只派 500 名精兵强将闯入敌营，一阵猛冲猛杀，金兵立刻作鸟兽散，纷纷逃往汴京。金兀术感叹地说："撼山易，撼岳家军难!"

这时，抗金形势十分喜人，黄河以北的人民武装也从背后打击金兵，收复了不少城池。捷报频传，人们无不欢欣鼓舞，各地义军纷纷约定日期起事，准备打出岳家军的旗帜。中原人民翘首期待着王师。

岳飞眼看只要再接再厉继续向北推进，中原故土就可收复，"从头收拾旧山河，朝天阙"的夙愿就可以实现了! 他无比兴奋地对部将说："直捣黄龙府 (今吉林农安)，与诸君痛饮尔!"

英雄万古冤

南渡君臣轻社稷，中原父老望旌旗。

人们在庆贺抗金战争的胜利，宋高宗和秦桧等却忧心忡忡。他们害怕岳飞的进攻会招来金朝统治者更大规模的军事行动；害怕岳家军和义军壮大会对他们的统治构成威胁。此外，宋高宗还有一块难言的心病，就是担心岳飞一旦收复了中原，金朝势必送还他的哥哥宋钦宗，这样一来，自己的皇位就保不住了。

宋高宗和秦桧下令抗金部队停止进攻，班师回朝。其他各路宋军陆续奉命撤退以后，前线只剩下岳飞一支孤军。秦桧以"孤军不可留"为借口，要宋高宗在 1 天内连下 12 道金牌，催促岳飞迅速南撤。岳飞不得不忍痛班师。他展望抗金义士用生命和鲜血换来的中原沃土，不禁泪流满面，愤愤地说："十年之功，废于一旦! 所得诸郡，一朝全休!"

岳飞回到临安，立即落入了秦桧等人设下的陷阱。1141 年，秦桧一伙经过密谋策划，收买了一些败类，诬告已辞官的岳飞谋反，把岳飞和他的儿子岳云，还有原来的部将张宪，投入牢狱。秦桧命人严刑拷打，威逼他们承认根本不存在的罪名。

秦桧陷害岳飞父子和张宪的行径，使得一些有正义感的官员感到万分愤怒，纷纷为岳飞鸣不平。老将韩世忠曾当面责问秦桧："岳飞到底有什么罪?"秦桧含糊其词，说："其事体'莫须有'(也许有)。"韩世忠气愤地说："'莫须有'三个字，怎么能够服天下人的心!"

人们的申辩、抗议已无济于事。这时，宋、金之间正在策划第二次和约，议和的双方都把岳飞看作和谈的最大障碍。金兀术写信给秦桧，说："必杀岳飞而后可和。"岳飞成了秦桧同金朝进行肮脏交易的牺牲品。

1142年1月27日，岳飞被杀害于临安大理寺内，年仅39岁。岳云和张宪也同时遇害。

岳飞临死之前，饱蘸墨汁，写下了"天日昭昭，天日昭昭"8个大字，意思是："老天有眼啊! 老天有眼啊!"这是他在生命的最后时刻发出的悲愤呼喊!

岳飞遇害后，举国人民和抗金将士都为之痛哭。据说，当时临安有个狱卒隗顺不惜冒着杀头的危险，趁黑夜把岳飞的尸体背出城外，埋葬在九曲丛祠旁。为使以后便于识别，隗顺把岳飞身上佩带的玉环系在遗体腰下，还在坟前种了两棵橘树为标记。

1163年，宋孝宗赵昚降旨为岳飞的冤案昭雪，并颁布诏书以500贯的高价征购岳飞的遗体，"以礼改葬"。隗顺的儿子就将岳飞的埋葬地报告了官府。岳飞的骨骸在隆重的仪式下移至栖霞岭。当时，朝廷还为岳飞"追复原官"，至于"号忠烈""谥武穆""追封鄂王"，则是好多年以后的事了。

1221年又在岳飞墓旁修建了岳王庙。从那时以来，历年前往凭吊的人络绎不绝，不少人在这里留下了一首首悲壮的诗篇。宋末元初的林景熙为痛悼岳飞，写下了一首《岳王祠》：

寥落一抔在，英雄万古冤。
孤忠悬白日，遗恨寄中原。
树老残霞澹，尘深断碣昏。
东南天半壁，往事泣寒猿。

岳飞虽然被奸臣害死，但是他的爱国主义精神并没有死，岳飞的名字已深深地铭刻在人们的心中。而秦桧等人却被铸成铁像，反剪双手，长跪于英雄的墓前，千秋万世受到人们的唾骂。这，正表达了我们中华民族鲜明的忠奸是非观念和爱憎之情。正如精忠园园门两侧一副对联所写的那样：

青山有幸埋忠骨，白铁无辜铸佞臣。

(选自《中国古代爱国者的故事》，作者吴润霖)

岳飞（1103年—1142年），南宋抗金名将，相州汤阴（今属河南）人。力主抗金，屡建战功。后被解除兵权，并被诬谋反，被捕入狱。1142年1月27日被杀害。杭州西湖建有岳王庙。遗著有《岳武穆遗文》，诗词散文慷慨激昂。

“但悲不见九州同”

——爱国诗人陆游的故事

晨雾缭绕，金阳初升。在离浙江绍兴不远的三山村口，一位头发斑白、年过80的老汉拄着拐杖，雪白的胡须在晨风的吹拂下微微翻动，他慢慢地移动脚步，向山林走去……他就是南宋爱国诗人陆游。他年老退职还乡，此时正准备进山挖药，为乡亲们治病。

他正走着，突然前面出现一个军人模样的壮年人。这人风尘仆仆，像有什么急事，见到陆游，劈头就问：“您老丈，请问陆放翁的家在何处？”

陆游仔细一看，心想可能是朝廷派来的什么官人，便说：“敝人正是陆游，足下是……”那人还未等陆游说完，便哈哈大笑起来，上前作揖说：“我是辛弃疾，近日朝廷起用为绍兴知府，得知老先生退职在家，特来拜望。”

“哎呀，我的辛老弟!”陆游忙丢下手中的药篮，握着辛弃疾的手，激动地说，“听说你为救国救民，最近又愤然出山，实在可敬!”接着，拉着辛弃疾的手，兴奋地说，“走，到我的破茅房里坐坐，我们好好谈一谈!”

这两个人为什么一见如故呢？原来他们都是南宋的爱国志士，有名的诗人，却因爱国有罪，几度被罢官。他们的生活道路以及悲惨的遭遇都是一样的。

陆游出身于一个世代做官且有文学教养的家庭里，从小接触一些爱国人士，受到爱国主义思想的熏陶，因而立志长大后要为国效力。但因为当时南宋朝廷里投降派势力猖獗，他考上进士做官以后，屡屡向朝廷提出抗敌复国、北伐中原的军事策略和政治措施，都始终不被采纳。他把自己忧国忧民的思想感情倾泻于他的诗作中，还利用各种手段和投降派做斗争。但是经三起三落，最后被罢黜还乡。这个80多岁的爱国志士如今碰见这样一位知音，怎能不高兴呢？

陆游把辛弃疾领到家里，坐定以后，他泡上一壶苦茶，递给辛弃疾说："请喝一杯苦茶吧!"辛弃疾双手接过，一饮而尽，然后皱了皱眉头，说："苦涩得很呀!"

"这茶苦涩，但甘凉，能治病! 我常喝它，使我不忘灾难深重的国家和人民！"陆游感慨地说，"我老了，但还常常梦见铁马冰河啊，呜呼，楚虽三户能亡秦，岂有堂堂中国空无人？"

辛弃疾抬头望见陆游当年在军营里用的宝剑，现在还擦得光亮，挂在堂屋的柱子上，心中不由产生了敬意。他捧起书桌上陆游的诗卷，当他读到"壮心未与年俱老，死去犹能作鬼雄"的名句时，激动地对陆游说："这次我出山，也是不服老，我一定规劝朝廷，赶快北伐，收复失地!"

就这样，他们从早上谈到深夜，话题总离不开北伐中原的事。陆游再三告诫辛弃疾说："我们从前遭到投降派的排挤打击，曾屡经罢官，这都是过去的事情了。现在应以国事为重，不必计较个人恩怨。只要朝廷有抗战的决心，北伐中原，收复失地，我们即使战死也心甘!"

辛弃疾静心地听着，深被陆游宽阔的胸怀和高尚的爱国热情所感动，他点点头说："您老说得对，我回朝后一定面奏皇上！"

又过了两年，南宋政府决定北伐，陆游知道后非常高兴，又是作诗，又是写信，预祝北伐的胜利。每当听到前线传来的胜利消息，他就从柱子上拿下宝剑，挥舞起来，心想要是能变成一匹战马，那该多好啊。这样就可以和南宋大军浩浩荡荡地渡过黄河，横扫金兵；就可以奔驰在北方广阔的战场上，冲锋陷阵……

但是由于投降派的破坏，暗杀了主战派首领，同金朝统治者达成了屈辱的“和议”。北伐之举又宣告失败了。

陆游听到这一丧权辱国的消息，感慨万千，一气之下，竟成大病，卧床不起。

有一天，村东头一户人家牡丹花盛开，家人为了使他欢心，扶他去观赏。但是当他见到鲜艳的牡丹花时，就立即想到洛阳。因为洛阳是牡丹之城，可是现在还落在金兵的手里，陆游想到这里，不禁泪落连珠。他回到家里，看见挂在墙上的貂皮军服积满了灰尘，那柄军刀也生锈了，感到无限的悲愤，往事又一幕一幕地涌现在他的眼前。想当年自己一心想杀敌报国，曾匹马北上，来到汉中前线，而如今已白发苍苍，可国土还没有收复。想到这些，心如刀割，他取出笔墨，颤抖地写下了一首《诉衷情》：

当年万里觅封侯，匹马戍梁州。关河梦断何处？尘暗旧貂裘。

胡未灭，鬓先秋，泪空流。此生谁料，心在天山，身老沧州！

陆游病卧床上已经100多天了，他预感到自己的生命将要结束。他的孩子及乡亲们面对着这位85岁的病危老人，洒下了悲伤的眼泪。临终前，陆游突然振作起来，瞪大眼睛，含笑点头示意，让他的儿子走过来。他紧握住儿子的手说：“对于我的死，哭是没有什么意义的，要是你有骨气，就继承我抗战复国的事业。”说完，他挣扎着坐起来，叫儿子拿笔墨来。他提起笔，用全身的力气一口气写下了他的绝命诗《示儿》：

死去元知万事空，但悲不见九州同。

王师北定中原日，家祭无忘告乃翁。

诗毕笔落，他慢慢地闭上眼睛，与世长辞了。

陆游去世了，但他的这首《示儿》和他成百上千首的爱国诗词，却一直流传于世……

(选自《爱国人物故事选》，作者苏长仙)

陆游 (1125 年—1210 年)，南宋爱国诗人，号放翁，越州山阴(今浙江绍兴) 人。生当北宋灭亡之际，一生坚决抗金，受投降派压制。诗作甚丰，今存 9000 多首，风格雄浑豪放，抒发恢复国家统一的强烈感情。著有《剑南诗稿》《南唐书》等。

“男儿到死心如铁”

——著名词人辛弃疾的故事

1161 年的一天，在郓州通往金朝军营的山路上，只见两团黄尘滚滚向前。一匹马载着一个和尚模样的人在前面飞奔；一位英俊的年轻人在后面策马紧追。终于追上了，被追者慌了手脚，满脸堆笑地对来者说：“我兄貌似青兕，力能杀人，还望看在往日情分，饶我一回。”年轻人毫不理会，怒睁双目，挥剑斩对方于马下。

这个年轻人，就是南宋著名的爱国词人辛弃疾。

辛弃疾出生的年代，淮河以北广大地区早已沦陷于金军的铁蹄之下。金朝统治者推行了一系列的种族歧视政策，任意占夺田宅，横征暴敛，甚至有的穷苦汉族百姓在菜园里拔棵葱，也被斩首示众。辛弃疾从小就痛恨这种野蛮的统治。为了投身于未来统一祖国的大业，在祖父辛赞的教育下，辛弃疾勤奋读书，刻苦锻炼。1161 年，金主完颜亮率军 40 万南进，中原地区的英雄豪杰趁机“屯聚纷起”进行反抗。辛弃疾便在此时组织起 2000 多人的队伍，参加耿京领导的以山东郓州为中心根据地的农民抗金义军。因为他是义军中仅有的一个负有文名的人，所以被任为掌书记，掌管全军书檄文件和印信。随后听说济南附近有个相识的僧人义端，也聚众千人起事，辛弃疾赶去动员，让他们归属于耿京。不料一天晚上，义端从辛弃疾处偷走耿京的大印，往金军的方向逃跑了。耿京闻讯大怒，要办辛弃疾的罪。辛弃疾遂向耿京请求，以3天为限，拿下义端的首级。果然，他在半路上截杀了义端，夺回了印信。辛弃疾以自己的英勇行动，在义军中赢得了威望。

义军在发展，辛弃疾却忧虑地看到，义军虽然有20多万，但由于是孤军作战，又缺少训练，一旦与骁勇善战的金军铁骑进行大战，势必难以取胜。因此辛弃疾劝导耿京归附南宋政权，以便与官军遥相配合，协同作战。耿京采纳了他的建议。于是南宋朝廷正式任命耿京为“天平军节度使”，对贾瑞、辛弃疾也分别授以官职。

就在贾瑞、辛弃疾等人领受了朝廷的意旨返回山东途中，行到海州时，一个惊人的消息传来了，在金朝的诱降政策挑动下，义军中发生了哗变。小头目张安国伙同邵进，杀死了义军头领耿京。经此事变，义军大部分已溃散，一部分被张安国等劫持投向金朝。此刻张安国已受任金朝的济州知州。苦心经营起来的抗金武装竟毁于一旦，辛弃疾只觉得怒火中烧，说：“我因主帅的命令，归附朝廷，没想到发生变故，这怎么回报？”他约集了当地统制王世隆和义军马全福等50人，前往济州袭击金营。到了济州，他们设计把张安国诱出官衙，趁他不备，捆缚在马上。同时向其部下声言，朝廷10万大军随后即到。张安国的部下不少是义军旧部，所以当场就有上万人起来反正。于是，辛弃疾等押着张安国，率领这上万人马，迅速掉头南下，一路上战胜金兵的围追堵截，终于回到了南宋统治区。这时辛弃疾才23岁。

辛弃疾抱着抗金的理想南归，但南归后的种种事实却是那样不如意。他多么向往继续跃马横刀于疆场，运筹策划于帷幄啊！可是，南宋朝廷从来就是害怕抗金义兵的，辛弃疾先是被解除了武装，授为右承务郎，后改差江阴（今江苏常州）签判。他部众万余人，只被当作南下的流民而散置在淮南各州县当中，更令人沮丧的是，随着1163年北伐战事因将领不和、轻敌冒进而在符离（今安徽宿县一带）一战兵败，次年南宋与金签订了屈辱的"隆兴和议"。从此，朝廷试图北伐恢复中原的锐气消失殆尽，偏安求和的投降声浪甚嚣尘上。为了冲破这种死寂的局面，辛弃疾一再向朝廷提出了南宋应如何充实力量，完成恢复中原的具体规划。然而所有这些披肝沥胆之言、振聋发聩之论，终因人微言轻而被当权者弃置一边。

有心报国，却报国无门、请缨无路。辛弃疾茫然、痛苦、无限悲愤，"愤怒出诗人"，慷慨激越的辛词，正是这种愤怒的艺术结晶。

1168年，辛弃疾任建康府通判时，开始了词（长短句）的大量创作。不过他不是像当时一般士大夫那样，把词的创作当作百无聊赖的心绪的发泄，而是作为他内心熔岩般奔腾的爱国热情的喷吐。他慨叹"虎踞龙盘何处是？只有兴亡满目"，痛惜"南共北，正分裂"。他曾写了一首《满江红》，用汉朝飞将军李广的业绩来策励友人："汉水东流，都洗尽、髭胡膏血。人尽说、君家飞将，旧时英烈。破敌金城雷过耳，谈兵玉帐冰生颊。想王郎、结发赋从戎，传遗业。"希望这位友人不要安于富贵享乐的生活，"马革裹尸当自誓，蛾眉伐性休重说"。

然而，冷酷的现实却给他胸中的烈火浇上了一杯杯冷水。1175年路过江西造口（今江西万安西南）时，辛弃疾曾一字一泪地写下了《菩萨蛮》：

郁孤台下清江水，中间多少行人泪。西北望长安，可怜无数山。

青山遮不住，毕竟东流去。江晚正愁余，山深闻鹧鸪。

作者从波涛滚滚的赣江水，想到中原同胞的无尽泪水。他渴望抗战大业也将像滔滔江水一样，逾越障碍往东流去。可是现实的处境却使他十分苦恼，南宋统治者满足于偏安一隅的局面，眼前的情景正像山中的鹧鸪叫声一样，是“行不得也”。这是对南宋朝廷妥协投降政策的尖锐批评，也是作者壮志难酬的悲愤心情的深沉表露。

作为一个爱国志士，辛弃疾决不甘于吟诗作词为业。当条件不允许时，他只得坐而论道；当机会来临时，他更善于起而行道。

1179年秋，辛弃疾被任为湖南潭州知州兼湖南安抚使，成为独当一面的封疆大吏。从抗金斗争的实践中，他痛感要克敌制胜，没有一支兵精将良的军队是不行的。第二年他便向朝廷建议，要创立一支精干的部队——湖南飞虎军。朝廷批准了他的建议。

接到批准的诏令，辛弃疾马上着手招兵买马、修建营栅。招募来的人马经过严格的教骑习战、操练技勇，很快组建成军，其素质是沿江各地方军队中最上等的。这不仅对湖南境内的安定起了重要作用，而且在以后的30多年内，飞虎军一直是沿长江边一支雄壮的国防力量。金兵畏惧地称它为“虎儿军”。

然而好景不长，1181年，辛弃疾被加以“奸贪凶暴”“凭陵上司”“用钱如泥沙，杀人如草芥”等罪名而罢免。从此，他开始了在江西上饶、铅山等地长达20年的隐退生活。他在赠给友人陈亮的一首《贺新郎·老大那堪说》词中悲愤地写道：

事无两样人心别。问渠侬：神州毕竟，几番离合？汗血盐车无人顾，千里空收骏骨。正目断关河路绝。我最怜君中宵舞，道“男儿到死心如铁”。看试手，补天裂。

这段词的大意是说：局势依然如此，人们的心境却是很不同的。请问你：祖国历史上曾经有多少次的分裂与统一啊？当权者不重用有才能的志士，使英雄无用武之地。极目远望，通往中原的道路已经断绝。我十分钦佩你为恢复中原而“中宵闻鸡起舞”的精神，永远记住你说的“大丈夫直到死，恢复中原的决心仍如铁一样坚定”。看我们大显身手，把苍天的裂缝来补上吧!

辛弃疾从1181年罢职，嗣后漫长的20多年里，除一度出任福建地方的提刑和安抚使外，他几乎完全被弃置不用。直到1203年，情况才又有了变化。这一年，独揽朝政的权臣韩侂胄，急于发动抗金的北伐战争，需要起用一些负有时誉的人物。因此他想到了辛弃疾，任命辛弃疾为浙江东路安抚使，第二年又改任为镇江知府。

这时的辛弃疾已是64岁的老翁了，但他不顾年高体弱，欣然赴命。辛弃疾在镇江知府任上还不满15个月，一切军事设施还未落实，又被诬为“好色贪财”而罢免了。不久，韩侂胄等果然就开始了轻率的北伐，以惨败告终。

一支熊熊的火炬燃烧到了尽头。1207年初，辛弃疾又被请到临安担任短时期的兵部侍郎，因老病交加，旋即告退。同年秋，与世长辞。

(选自《中国古代爱国者的故事》，作者司徒伟智)

辛弃疾（1140年—1207年），南宋词人，号稼轩，历城（今山东济南）人。21岁参加抗金，不久归南宋，任江西安抚使、福建安抚使等职，一生力主抗金，统一中国。其词充满爱国热情，慷慨悲壮。

“留取丹心照汗青”

——文学家文天祥的故事

文天祥是一位著名的抗元将领。他从小用功读书，20岁便中了状元。他看到朝廷里奸臣掌权，元兵步步进逼，心里一直为国家的危急而担忧。

元军攻打南宋，一直向都城临安进逼。谢太后只好向全国发出文告，号召各地募集义军，前来救应。告急文书到达江西赣州，担任知州的文天祥立即响应，没几天工夫，便召集了10000多义军。

但是义军既无粮饷，又缺兵器，怎么办呢？文天祥毫不犹豫地变卖了自己的全部家产，用来充作军费。一些爱国人士在他的鼓舞下，也拿出钱财，帮助义军。

文天祥迅速率领义军到了临安。这时候，元军已经靠近临安，朝廷中的大臣们看到元军势盛，大都主张投降。

元军统帅伯颜逼宋朝派宰相去谈判。在这紧急关头，宰相陈宜中跑到南方去了。谢太后只得召集大臣们商议，问谁愿意前去谈判。问了几遍，没有一个人答应。这时文天祥挺身而出，表示愿意冒着生命危险到元军那里去。他希望通过谈判拖住元军，以便争取时间，做抵抗的准备。

谢太后任命文天祥为右丞相，文天祥立即动身来到了元军的大营。元兵军营门口站满了卫兵，手中拿着雪亮的刀枪。文天祥昂着头，威风凛凛地走进了元兵军营。一见到伯颜，文天祥就严厉地斥责了元兵的无理侵犯，接着他要求元兵先后退一段路，再进行谈判。

伯颜原来以为宋朝是派人来谈判投降条件的，想不到文天祥的态度竟这样强硬。他怒气冲冲地对文天祥说：“你到底是来干什么的？你们宋朝已经完蛋了，你还是知点儿好歹，快些归顺了我们大元吧！”

“归顺？”文天祥哈哈笑了几声说，“我只知道抵抗，不知道什么叫归顺！”

伯颜脸一沉，高喊道：“来人哪！”几个身材高大的元兵，手拿大刀，把文天祥从座位上拽了下来。

“是降是死，由你自己选择！”伯颜威胁说。

文天祥甩开元兵的手，理直气壮地说：“我文天祥早就准备以死报国。你们要杀便杀，刀锯、油炸，我都不怕！”

伯颜知道文天祥是个响当当的硬汉子，吓是吓不倒的，只得放弃威胁，但却把文天祥扣留起来，不让他回去。

文天祥被扣留后，谢太后带领小皇帝和大臣们向元军投降了。元军很快进入了临安。文天祥得知这个消息后，心里多么痛苦呀！他曾经想自杀，但转念一想：全国广大军民还在继续抗元呢！无论怎样也要活下去，跟元军斗争到底！

南宋朝廷投降后，伯颜强迫文天祥跟投降的大臣们一起到北方去。文天祥来到京口（今江苏镇江）的时候，乘敌人不防备，在黑夜里带了十几个人，避过敌人的监视，渡过长江，逃到了江北的真州。

当时江北一带还在宋朝手里。真州守将苗再成听说文天祥脱险回来，连忙出城迎接。文天祥进了城，还没来得及休息，就同苗再成商量起抗元的大事。

想不到扬州守将李庭芝向苗再成下了一道命令，要他马上杀死文天祥。李庭芝是坚决抗元的英雄，但他误信元军的谣言，以为文天祥已经投降了元军，这次是替元军到真州去活动的。苗再成不相信文天祥真会投降敌人，但怕李庭芝怀疑自己，只好让文天祥离开真州。

文天祥一行人不畏艰难险阻，一直朝南方前进。在群众们的帮助下，文天祥他们最后总算逃出了元军的虎口。路上，文天祥听说南宋的益王已经逃到浙江南部的温州，便坐船赶到那里。一到温州，他才知道陆秀夫、张世杰等已经在福州拥立益王即位。文天祥他们又急急忙忙赶到福州。

益王看到文天祥来了，非常高兴，便请他指挥各路兵马。文天祥立即担负起这个重任，积极招募义兵，进行训练和战斗。各地义士听说文天祥到了南方，也纷纷赶来。抗元的声势又重新振作起来了。文天祥带领义军经过一年多的苦战，收复了江西南部许多地方。

文天祥率领义军转战到广东海丰的时候，受到元军的重重包围。义军英勇奋战，打死了不少元兵，但元军越来越多，战士们纷纷倒下去了。文天祥的身边只剩下了几个人，他不愿落在元军手里，便从口袋里拿出一包药，一口吞了下去，只觉得一阵天旋地转，文天祥扑倒在地上。文天祥并没有死，元兵一拥而上，把他捉住，送到了元军大营。元军统帅名叫张洪范，本来是宋朝的将军，后来可耻地投降了敌人。

一群如狼似虎的元兵，把文天祥带到了张洪范面前。他们硬要文天祥跪下来。文天祥直挺挺地站立着，轻蔑地对张洪范说："我当年见到伯颜也没跪过，叫我向你下跪，哼，真是异想天开！现在我被你们捉住，只有一死，要我屈服，万万不能！"

张洪范接过文天祥的话头说："你说起当年见到伯颜元帅的事，那一天我就坐在伯颜元帅的身边呐！"

文天祥看到张洪范脸皮这样厚，禁不住满腔怒火，指着张洪范，切齿痛骂说：“亏你还是个汉人，却要奴颜婢膝，投降元朝。你现在卖身投靠，当上了元军的元帅。你背叛了国家，出卖了祖宗，你还有什么脸见人！”

接着，张洪范便押着文天祥来到崖山的海面上，逼他写信劝张世杰投降。文天祥坚定地说：“我自己没有力量保卫国家，难道还会劝别人背叛祖国吗？”

张洪范还不死心，叫人拿来纸笔，硬缠着文天祥写信。文天祥提起笔写了起来。张洪范以为文天祥屈服了，心里挺高兴。等文天祥写好后，拿来一看，啊！原来文天祥写的是自己作的一首诗——《过零丁洋》。这首诗的最后两句是：

人生自古谁无死，留取丹心照汗青。

意思是：自古以来，哪一个人能永生不死？应该让自己爱国的红心留在历史上，永放光芒。

张洪范在文天祥身上捞不到半点儿便宜，便集中兵力，猛攻宋军最后坚守的崖山。张世杰、陆秀夫先后牺牲，南宋最后灭亡了。

张洪范召集将领们开了一次庆功宴会。他叫人把文天祥带来，让他坐在椅子上。张洪范倒满了一杯酒，走到文天祥面前，装着毕恭毕敬的样子说：“文先生，现在宋朝已经灭亡了，您也算尽到了自己的责任。只要您老人家能够用对待宋朝那样的忠心来对待元朝，元朝的宰相不是您，还会有谁呢？”

文天祥猛地站起来，义正词严地说：“我是宋朝大臣，怎么能苟且偷生，投降元朝！你们要杀便杀，不必多说！”

张洪范在众多将领面前碰了一鼻子灰，庆功宴会也不欢而散了。

后来，文天祥被押到了大都（今北京）。开始时，元朝统治者还想用软的办法引诱他，让他住在豪华的房子里，给他送来山珍海味。文天祥把送来的东西往旁边一推，每餐都只吃一碗饭，喝几口汤。

元朝统治者恼羞成怒了，软的不行，便用硬的。他们给文天祥戴上长枷和脚镣，把他送进了土牢，禁闭起来。狭小的土牢，臭气扑鼻，一年到头见不到阳光。冬天冷得像冰窟，夏天热得像蒸笼。一到晚上，成群的老鼠到处乱跑乱咬……

文天祥在土牢里住了近4年的时间，元朝官府的百般折磨始终动摇不了文天祥铁石一般的意志。他经常向监视他的士兵们讲述古代爱国英雄的故事，使他们深受感动。他们偷偷地给文天祥带来纸笔。文天祥在这期间，写下了不少充满爱国热情的诗文，最著名的一篇便是《正气歌》。

最后元世祖传来命令，叫部下带文天祥去见他。他想亲自出马，劝说文天祥投降。在威风盖世的元朝皇帝面前，文天祥昂然挺身站立着，就像一棵顶天立地的青松。

一看到文天祥正气凛然的样子，元世祖也不得不肃然起敬。他对文天祥说："文先生在大都也快4年了，我因为器重您，一直不忍心杀您。只要文先生能够改变主意，我愿起用您当宰相。"

文天祥斩钉截铁地说："我身为宋朝宰相，宋朝灭亡了，我但愿以死报国!"

元世祖进行的最后一次劝降又失败了。

第二天，大都城里风沙漫天飞舞，日色暗淡无光。文天祥被押着来到了刑场，文天祥知道为国尽忠的时刻到了，他问旁边的人："哪一边是南方？"有人指给他看。他整了整衣服和帽子，从容地朝南方拜了两拜。

"我能够报答国家的，只能到这里为止了！"说完，他转身对刽子手喝道，“快动手吧！”

文天祥慷慨就义了，但他视死如归的精神，永远受到人民群众的怀念和赞扬。

（选自《中国古代爱国英雄故事》，马允伦编著）

文天祥（1236年—1283年），南宋大臣、文学家，号文山，吉州庐陵（今江西吉安）人。1256年中状元，后任右丞相，抗元战斗中被俘，坚贞不屈，在大都（今北京）柴市被杀害。后人在其被囚的北京兵马司狱故址建文丞相祠，以资纪念。著有《文山诗集》等。

誓死保卫北京城

——明朝名臣于谦的故事

明代有位胸怀大志的青年，他在17岁时写了一首名为《石灰吟》的诗：

千锤万击出深山，烈火焚烧若等闲。

粉骨碎身全不怕，要留清白在人间。

这首诗表达了甘愿为国家不惜献身的忠贞气节，作者就是后来成为明代著名大臣的于谦。

力挽狂澜

1449年秋，北方蒙古族瓦剌贵族分四路入扰明境。7月间，大同镇参将吴浩迎战，不幸战败身死。继而驸马都尉井源等4将出击，又遭失败。

在边境战事一再失利的情况下，操纵明朝军政大权的宦官王振乘机挟明英宗朱祁镇御驾亲征，妄想借此侥幸取胜邀功。兵部尚书邝埜奏谏皇上不可亲征，吏部尚书王直也力谏。可是明英宗受王振挟持，毫无定见，完全听任王振摆布，下了亲征命令，命他的弟弟郕王朱祁钰留守京师。当时于谦是兵部侍郎，被任命在京师代理兵部事。明英宗限两天内做好出兵的准备。7月16日偕王振率军50余万人仓促发兵，8月初抵达大同。

明军与瓦剌军一战即败。8月3日，在不断溃败的情形下，王振决定退兵，途经宣府，横遭袭击，损兵几万，明英宗被迫从宣府逃到土木堡(今河北张家口怀来境内)。8月14日，明军在土木堡被瓦剌军重重包围，明英宗被俘，明军惨败，这次战役历史上称为“土木堡之变”。

土木堡惨败的消息传到了朝廷，一时人心慌乱，十分紧张。明英宗的母亲孙太后命令郕王朱祁钰召开紧急会议，与大臣们商讨应变的办法。

翰林院侍讲徐珵提出：“我从星象上看到，天命已经转变了，大难临头，只有把京城赶快南迁，才可避免灾祸。”

徐珵是一个阴险狡猾的奸臣，早在明英宗亲征之前，他已暗中把妻子、家眷遣送到南方苏州。于谦对他的为人是深知的。今天他明目张胆地宣扬迁都，不是有意要把国家推向绝境吗？如果不对这种荒谬的主张进行反驳，怎能安定人心呢？于谦想到这里，顿时怒火燃烧，挺身而出，高声喝道：“谁提议要南迁，就应当斩谁！”于谦的话像铜钟一样，震惊了众人，大臣们不约而同地以敬佩的眼光凝视着于谦。于谦说：“各位大人，谁不知道宋朝迁都的祸患啊！京师是天下的根本，牵一发而动全身，怎能轻易迁移呢？当前，刻不容缓的不是迁都，而是调集各地的勤王兵，誓死保卫京师。”

大臣们听后颇受感动，纷纷表示赞同。孙太后和朱祁钰本来动摇不定，在于谦等人的呼吁下，才打定主意，不同意迁都。后来，朱祁钰被拥立为王，改年号为景泰。接着，于谦被任命为兵部尚书，率领军民保卫北京。

1449年10月，瓦剌军分两路进攻北京，于谦向众将领说：“闭门守城是示弱的表现。如果这样做，对守卫京师非常不利。我们应该乘敌主力军未到，把兵力部署在城郊，以利战斗。”

将领们听后，都赞成出城迎敌。于谦把各地调来的勤王兵约22万，部署在北京9个城门外边，并亲自率军驻扎在德胜门外，准备迎接主力部队。为了严明纪律、增强斗志，保证战事的胜利，于谦又发布临阵杀敌的军令："将领必须身先士卒，不顾全大局擅自后退者，严厉处斩。"军令下达后，将领们个个都亲自临阵督战，士气非常高昂。

10月中旬，瓦剌军前锋到达北京城郊，于谦立刻命令副总兵高礼、毛福寿在彰仪门外阻击。由于士气旺盛、指挥正确，第一次交战就打败了瓦剌军，明军军威大振。

瓦剌统帅也先自恃兵强马壮，根本不把明军放在眼里，不料第一仗就遭到惨败。他决定改变策略，采取战与和相结合的办法，对付明军。也先扬言："只要明廷派出大臣'迎驾'，就可以把明英宗朱祁镇放回。"这是欲擒故纵，制造假象，目的是乘机攻取北京。

于谦看穿了也先的阴谋，建议明景帝朱祁钰不要相信派员可以"迎驾"回朝，应当坚决使用武力抗击敌人。明景帝接受了于谦的建议，双方的战斗又恢复了。

11月初的北京城，寒风呼啸，雪花纷飞，于谦冒着风雪指挥战斗。他派石亨率军埋伏在民间的空房内，又派出小股骑兵引诱瓦剌军深入。骑兵与瓦剌军一接触，立刻佯装逃跑。当瓦剌军进入明军的埋伏圈后，于谦立即下令出击。霎时间，战鼓咚咚，硝烟弥漫，城头上火炮火铳齐发，城墙下的战士手持刀枪，奋勇冲杀，把瓦剌军杀得晕头转向，伤亡惨重。

也先不甘心失败，又在彰仪门土城一带发动反扑。于谦派副总兵武兴、都督王敬等率军迎战，双方战斗十分激烈。这时，京师居民主动配合明军奋勇阻击，纷纷跳上屋顶，躲入墙角，以砖石当武器，狠狠打击来犯之敌，打得瓦剌军不敢再进攻了。后来，于谦又调重兵到彰仪门，与民众一起，把瓦剌军打得一败涂地。也先率领残兵败将连夜撤逃，于谦又派孙镗和范广率兵2万追剿。不久，瓦剌军退回塞外。

“夺门悲剧”

于谦率领军民英勇保卫京师，立下了功劳，明景帝加升他为少保，命他总督军务，仍掌兵部尚书事。于谦再三推辞说：“太上皇虽回，但国耻未雪，怎么敢邀功受封呢!”于谦认为，瓦剌虽败，暂时求和，但亡我之心不死。若不加强国防，仍不能从根本上制止瓦剌进犯。为此，他着手改革京营的军制，创立了团营，指望能创建一支强大的国防军。

打败瓦剌后，于谦仍夜以继日地为国事操劳，长时期宿在朝房内，不归私宅。他坚持原则，弹劾贪官污吏，因而引起奸臣的不满。武清侯石亨是个贪官，曾指使家奴领用官库银帛粢米运到边镇，营私谋利，受到于谦的弹劾。在保卫北京的战斗中，石亨立了功，被封世袭侯爵。于谦不接受封爵，石亨认为这对自己是很不利的，所以假意向明景帝推荐于谦的大儿子于冕，任都督府前卫副千户。于谦知道后，向皇上说：“当今国家正值多事之秋，做大臣的若明大义，就不能顾念私人的恩情。石亨不去选拔军队中的人才，以报效国家，而单单推举我的儿子，这样是不合公论的。”他坚决不同意让自己的儿子无功受官。同时，于谦对石亨结党营私、无视法纪的行为，曾多次弹劾。因此石亨怀恨在心，联合徐理等一伙密谋策划陷害于谦，乘明景帝病危之时，企图废明景帝，复立明英宗朱祁镇，发动宫廷政变。

一天清晨，石亨、徐理和宦官曹吉祥等偷偷地走进朱祁镇的南宫，请求他登位，取代明景帝而复辟。朱祁镇立即答应了。石亨、徐理等当即将他护送到文华殿，登上皇帝宝座。接着，钟鼓齐鸣，召唤大臣上朝。

于谦上朝，一看明英宗坐在正中，徐理、石亨洋洋得意，站立两旁，知道灾祸临头，正欲后退，就被逮捕下狱。同时被捕的还有都御史王文。

这就是所谓的“夺门之变”。

明英宗封徐理为兵部尚书，并将审讯于谦的事交给他和石亨。两人使尽伎俩，诬陷于谦和王文阴谋另立皇帝，制造所谓谋逆案，并动用酷刑。于谦宁死不屈，在狱中常常用自己在青年时代写的诗《石灰吟》鼓励自己，“粉身碎骨全不怕，要留清白在人间。”坚决与复辟势力做斗争。

王文受不了冤屈，不停地与石亨和徐理辩论。他们制造了冤案，当然理屈词穷。然而石亨扬言：“虽无显迹，意有之。”于谦一再劝阻王文不要辩白。他说：“我等入狱，就是石亨等人蓄意制造的，辩白有什么用呢？”最后，果然以“意欲”谋逆罪，判处于谦死刑。所以历史上称为二字狱，类似岳飞被诬为“莫须有”的三字狱。

英雄遗恨

1457年2月16日，阴霾翳天，北风呼啸，北京城中的男女老幼听到这位忠心耿耿的老将军被杀害的噩耗，莫不悲痛流泪，“行路嗟叹，天下冤之”。不久，北京出现了怀念于谦的童谣：“京都老米贵，那里得饭广 (指范广)。鹭鸶水上走，何处觅鱼嗛 (指于谦)。”

于谦被害后，都督陈逵收殡了他的遗骸。于谦的家属也被株连，长子于冕遣戍龙门，少子于广在裴太监的掩护与陪同下，逃往河南考城隐居。

1459年，于谦的女婿朱骥把于谦的灵柩运回钱塘故乡，葬于西湖三台山麓。

于冕被赦后，上书为父申冤，得到特诏昭雪，恢复了于谦生前官爵，并把崇文门内西裱褙胡同的故宅改为“忠节祠”。弘治年间，加谥“肃愍”；万历年间，改谥“忠肃”。

于谦的墓祠和岳飞的墓祠都在山水秀丽的西子湖畔。

清代，康熙进士孟亮揆著诗《于忠肃墓》，对这两大冤案作了深刻的概括：

曾从青史吊孤忠，今见荒丘岳墓东。

冤血九原应化碧，阴磷千载自沉红。

有君已定还銮策，不杀难邀复辟功。

意欲岂殊三字狱，英雄遗恨总相同。

(选自《中国古代爱国者的故事》，作者李茂高)

于谦 (1398年—1457年)，明朝大臣，钱塘 (今浙江杭州) 人。历任监察御史、巡抚、兵部右侍郎，平反冤狱，安抚流民，颇得民心。1449年任兵部尚书，率军抗击蒙古族瓦剌军来犯，誓死保卫北京，获胜立功。后遭奸臣陷害，以“意欲谋逆”罪被处死。著有《于忠肃集》。

杀尽倭寇保海防

——军事家戚继光的故事

明朝时期，日本的一些封建诸侯纠集武士、商人和海盗，经常骚扰我国沿海地区。他们几十人一伙，几百人一帮，杀人放火，抢劫财物。沿海居民管这些强盗叫“倭寇”。

明朝在英宗以后，政治上越来越腐败。沿海的防御力量削弱了，倭寇一天比一天猖獗起来。

为了保家卫国，沿海人民到处开展反抗倭寇的斗争。在抗倭的战争中，出现了许多爱国英雄，戚继光便是其中最杰出的一位。

戚继光的祖父和父亲都是明朝的将军。戚继光小时候，不但读书用功，平时还注意锻炼身体，学习兵法。不到20岁，他已经能够拉开300多斤重的弓，精通各种武艺。他知道只要把武艺练得棒棒的，以后国家受到侵犯，就可以拿起武器到前线去杀敌。

戚继光长大后，在家乡山东沿海当了一名军官。他率领军队，好几次打退倭寇的侵扰。后来浙江沿海受到倭寇的蹂躏，明世宗把他调到那里去防守。戚继光在浙江打了几次小胜仗。但倭寇很狡猾，跑得快，逃得紧，这里吃了败仗，便溜到别的地方去残害人民。戚继光看到明军纪律很差，而且一直没有好好训练，依靠这样的军队来打仗，怎么能彻底消灭倭寇呢？他下了决心，一定要训练一支英勇善战的队伍。

他看到浙江金华、义乌一带的农民和矿工非常勇敢顽强，便亲自到那里招募了4000多人。

戚继光根据江南山岭多、沼泽多、道路曲折的特点，创造了一种名为“鸳鸯阵”的作战阵法。

在练兵休息的时候，戚继光常常对战士们讲述杀敌卫国的道理。他对大家说：“现在倭寇正在残害沿海的百姓，我们能眼看兄弟姐妹们受苦受难吗？大家一定要苦练本领，把倭寇从我们的国土上赶出去！”

战士们听了，个个摩拳擦掌，恨不得早一点儿到前方去杀敌。

戚继光的军纪很严明，该赏的赏，该罚的罚，一点儿不讲私情。没过多久，一支纪律好、肯吃苦、作战勇敢的军队就练成了。人们都管这支军队叫戚家军。

戚家军刚练成，倭寇大举侵犯的消息传来了。这一次，倭寇侵犯的地点是浙江的台州。戚继光带领戚家军一口气赶到台州，就在台州城外两里路的花街跟倭寇碰上了。

倭寇看到戚继光率军迎了过来，他们还以为明军没有什么战斗力。哪里想到他们一闯进戚继光摆开的“鸳鸯阵”，刀、枪、狼筅、藤牌就像一阵暴风骤雨，密密层层地向他们压了过来。倭寇从来没有碰见过这般厉害的对手，他们招架不住了。倭寇头子一看势头不对，便想率领队伍退到灵江的船上，开船逃走。但戚家军狠狠咬住他们，毫不放松。倭寇头子想了一个脱身的办法：他叫部下把抢来的金银财宝丢在地上，以为这样戚家军战士就会低头抢夺这些东西，他们便可以乘机溜走。

他们哪里想到戚家军有铁一般的纪律。满地丢弃的金银财宝，戚家军战士就好像没有看见一样，依然紧追敌人不放。倭寇一部分当场被杀死，一部分被赶到灵江里淹死了。戚家军大获全胜，从倭寇手里夺回了被掳去的5000多人。

倭寇吃了个大败仗，但贼心不死，过了没多久，他们又来了。这时，早有人把消息报告给了戚继光。戚继光挑选1500多名精兵，埋伏在敌人必经的路口——上风岭。

倭寇来到山口一看，只见山上静悄悄的，他们壮着胆子，准备翻过山口。倭寇的队伍刚刚过去一半，突然一声号响，戚继光率领战士们一跃而起，呐喊着冲杀过来了。

倭寇受到突然袭击，个个惊恐万状。但山路又陡又狭窄，他们要退兵，已经来不及了。战士们刀砍枪刺，倭寇们纷纷号叫着滚下山去了。一部分残留的倭寇好不容易逃到附近老百姓的家里，躲了起来。老百姓们早就恨死了这些强盗，立刻报告了戚家军。结果倭寇们一个个被抓住，送到了戚继光的军营。

戚家军胜利后回到台州城，城里百姓出城20多里，热烈地迎接和慰劳战士们。

接着，戚家军在宁波、温州一带又一连打了十几次胜仗，把倭寇全部赶出了浙江。

戚家军的队伍在战斗中变得更加壮大了，戚家军的战绩在全国各地到处传扬。

这时候，福建的倭寇还很猖狂。朝廷命令戚继光率军到福建去作战。戚继光带领6000多名戚家军，从温州航海到平阳，一路披荆斩棘，绕道从小路进军，一直来到福建的宁德。

在离宁德10里的海面上，有一个叫横屿的小岛。横屿四面环水，潮水下落的时候，小岛四周便形成一片泥沼，无法行走。倭寇把大营驻扎在岛上，跟陆地上牛田和兴化两地的倭寇互相呼应。

戚继光知道，想要打胜仗，必须先摸清敌人的底子，知己知彼，才能百战百胜。横屿、牛田、兴化3个敌人的据点，先打哪一个好呢？只有先拔掉横屿这颗钉子，才能断绝倭寇的后路，剩下的两个据点也就容易解决了。

戚继光亲自到海边察看了横屿的地势，又向周围的老百姓了解了敌人的动静，定下了一个攻打横屿的妙计。戚继光下令：战士们每人准备一捆柴草，等待出发。大伙儿心里挺奇怪：打仗准备柴草干什么呢？但听说是戚将军的决定，相信决不会错，也就不吭声了。

天黑了，戚继光把全军集合起来，对他们说："自从倭寇入侵以来，沿海百姓一直不能过上安定的日子。倭寇破坏生产，残害我们的同胞，这个仇一定要报。横屿是倭寇安在海上最后的一个据点，今天晚上，我们一定要同心合力，攻下横屿岛，彻底把他们消灭！"

战士们在黑夜中悄悄地乘船渡海，在横屿靠了岸。这时正赶上退潮，岛上的倭寇以为小岛四周都是泥沼，人们根本没有办法上来。因此一点儿防备也没有，都在大营里放心地睡大觉。戚继光命令战士们把带来的柴草全部扔到泥沼里。人多柴草多，一会儿工夫，就在烂泥滩上铺出了一条道路来。战士们这才明白准备柴草的用处。大家踏着柴草铺成的道路，神不知鬼不觉地来到敌人的大营前。

寂静的黑夜里，突然响起了天崩地裂般的战鼓声和呐喊声。倭寇还在睡梦中，戚家军已经冲进了大营。倭寇有的成了刀下之鬼，有的死命冲出营帐，奔向岸边，打算找船只逃走。戚继光对敌人这一手早有防备，不等敌人上船，战士们就扑上来把他们歼灭了。一部分倭寇侥幸跳上了战船，战船也被战士们用带来的长钩钩住，用力拉到岸边。战士们跳上船，倭寇一个也没有逃掉。倭寇的头子平五郎眼看大势已去，拿起刀剖腹自杀了。

战斗结束了。一共杀死了3000多敌人，俘虏了2000多。缴获敌人大小船只200多艘，倭刀几万把，粮食几千石。

戚家军乘胜进攻牛田和兴化。那里的敌人孤立无援，成了笼中之鸟。戚家军一到，就把敌人歼灭得干干净净。

听说戚家军打了大胜仗，老百姓们都从家里跑出来欢迎。大家杀了牛羊，抬了酒，热情慰劳戚家军。他们对戚继光说：“戚将军，您真是我们的救命恩人啊！我们永远忘不了您!”

经过了10多年的英勇奋战，东南沿海的倭寇被彻底肃清了，老百姓们又开始过上了安定的生活。

人们永远不会忘记戚继光和戚家军的丰功伟绩。一直到今天，浙江、福建一带还到处流传着戚家军英勇杀敌的故事，保存着大量戚继光和戚家军的遗迹。

爱国英雄戚继光，在反对外来侵略、保卫祖国海防的历史上，写下了光辉灿烂的篇章。

（选自《中国古代爱国英雄故事》，马允伦编著）

戚继光（1528年—1588年），明代抗倭名将、军事家，山东蓬莱人。因率兵在浙江、福建海防数败倭寇，被誉为戚家军。著有《纪效新书》《练兵实纪》《止止堂集》等。

爱我祖国山河美

——地理学家徐霞客的故事

中华民族世代生长的国土，山河壮丽，辽阔广大，有着无穷无尽的宝藏。几千年来，人们用心里的歌赞美它，用血和肉保卫它，一切热爱祖国的人们无不对祖国壮丽的山河倾注无限的深情。

距今300多年前，我国有一位杰出的旅行家和地理学家，他以毕生的精力，漫游考察了祖国的山河大地，探索了大自然的奥秘，并以清新奇丽的文字，真实而生动地描绘了他所见到的自然景色。这位旅行家和地理学家就是明朝末年的徐霞客。

徐霞客出身于一个书香世家，从小聪明好学，最喜欢读历史、地理和探险游记。他向往瑰丽多姿的大自然，很早就萌发了遍游祖国名山大川的志趣。

徐霞客19岁时，父亲因病去世，在家服丧3年之后，他便想外出探寻名山大川的奥秘。但因眷恋年迈的母亲，踌躇再三，没有成行。母亲看出了儿子的心思，便笑着对他说："好男儿应该志在四方。你怎么能为了我便像圈在篱笆里的小鸡、套在车辕上的小马一样，坐困在家里无所作为呢？"听了母亲的话，徐霞客非常感动。1607年，他毅然背上了母亲亲手为他缝制的行装，投身到无比辽阔、富丽的原野，开始了他远游考察的艰苦生活。

徐霞客从 22 岁起，直到终年，30 多年如一日，足迹遍布于华东、华北、华南、西南等广大地区。最初他以登名山访胜迹为主，每到一个风景奇特的地区，他都仔细观察，精确记载。

1613 年 4 月，徐霞客游历了浙江的雁荡山。在这里，最使他惊叹的是大小龙湫飞瀑的雄伟壮观。小龙湫在独秀峰和卓笔峰南坳，大水从崖上轰然下泻，声震峡谷。大龙湫高 190 米，瀑布沿绝壁流下，犹如匹匹素缎，腾空飘荡，最后直捣潭中，激起巨大的浪花。徐霞客在这里兴致勃勃地观看了好久。之后，忽然想起地理书上说过，雁荡山顶有一个湖，大小龙湫的水就是从那里流出来的，于是决心爬到山顶上去寻找。经过千难万险，徐霞客不但没有找到湖的踪影，还险些葬身山顶。20 年后，徐霞客再次游历雁荡山，从一条偏僻的小道爬上山顶，找到了雁湖，经过仔细观察，发现大小龙湫的水并非从雁湖而来，从而纠正了地理书上的错误记载。

游历过黄山的人都熟知徐霞客对黄山的绝妙评价："五岳归来不看山，黄山归来不看岳。"黄山自古以来被誉为"天下第一奇山"，它以奇松、怪石、云海、温泉"四绝"闻名，巧妙地组成了一幅千变万化的天然美景。

1616 年 2 月，徐霞客第一次游黄山，正赶上大雪封山。上山的石阶被雪填平，徐霞客用竹杖试探着，慢慢地往上移动。等上到半山腰，云开雾散，披上银装的座座山峰呈现出迷人的景色。天都峰独自巍然上挺，其他山峰像卫士一样伫立在周围，争奇竞秀。徐霞客一边欣赏着迷人的景致，一边艰难地继续往上攀登。过了平岗，徐霞客看到长在断崖险峰上的怪松，有的像卧，有的像立，有的像仰，有的像曲，形态非凡，格外好看。徐霞客高兴地称它们为"奇山中的奇品"。

1618 年 9 月，徐霞客又一次来到黄山，沿着当年没有走过的一条岔

道，从东边登上文殊院。文殊院是徐霞客上次游黄山欲登而未登的地方。左边有天都峰，右边是莲花峰。两峰秀色，抬头可见。四周奇峰错列，众壑纵横，徐霞客赞之谓“黄山绝胜处”。他兴致勃勃地说：“这样的奇景，不是我再一次来，怎么能领略得到呢？”

徐霞客经文殊院和尚指点，来到天都峰脚下，在陡立的山坡上，攀草援石，蛇行而上，历险数次，终于到达顶峰。峰顶有一块数十丈高的大石头，直立在那里。徐霞客心想，不爬上这块大石头，还不算登上极顶。于是，他又冒险登上这块大石头。这里山高风巨，雾气去来不定。从此下瞰诸峰，日出时山峰青绿，日没时云海浩瀚，好似另一番世界。

徐霞客在游历的过程中，发现地理书上关于山川源流的记载错误百出。为了弄清祖国的山川面貌，探索自然界的奥妙，1636年，51岁的徐霞客开始了历时4年之久的野外考察。他从家乡出发，经江西，过湖南，穿广西，越贵州，远达云南腾冲。

在西南行中，他横贯了我国主要的石灰岩地区，对于绮丽多姿的石灰岩地貌作了非常生动的描写和相当精深的研究。在号称“甲天下”的桂林，徐霞客这样描写道：“诸峰分岐迭出，各自呈现了奇异的景色。石峰之下，尽是静静的水面，山峰倒插其中，真像是青莲出水，各自挺拔，独立向上。”游阳朔，徐霞客又写道：“早起，晓月的光辉落在江面上流动着，停泊在奇峰下的船摇橹启行。南三里是螺蛳岩，有一山峰，盘旋直上，转而从江的右岸耸立起来，这就是兴平的水口山。又七里，东南出水绿村，山势逐渐收敛，再向南三十里为龙头山，又是铮铮骨立的形象，而阳朔周围竟然呈现出碧莲玉笋一样的世界。”徐霞客把桂林的江上奇峰，比为“青莲出水”；而把阳朔周围写作“碧莲玉笋的世界”。简洁的几个字，就把桂林、阳朔明媚秀丽的自然景色写得栩栩如生，读后令人有身临其境之感。

徐霞客考山观水30年，除了每天写游记之外，还搜集了许多奇异的岩石、植物标本，以备日后进一步研究。可惜当他西南之行回来以后便病倒了。在病中，他把从野外带回的岩石标本摆在床旁，专心进行研究。他最希望的是能再到祖国壮丽的大好河山中去考察。他在给好友的信中说，我多么希望能很快再和你同游雁荡山啊!

祖国的锦绣河山对徐霞客有着无比的吸引力，它孕育了徐霞客的崇高精神，培养了他的爱国感情，启迪了他的文思，使他以无比激扬的热情，尽情地歌颂祖国壮美的山河。他的不朽之作——《徐霞客游记》，今天读来也仍然使人深受感染和教育。

（选自《可歌可泣的爱国主义精神》，赵树林编）

徐霞客（1586年—1641年），明代地理学家，江阴（今江苏江阴）人，幼年好学，因见明末政治黑暗，不愿入仕，志在四方，足迹遍及南北多省，备尝艰险。著有《徐霞客游记》。

英雄血洒扬州城

——抗清名将史可法的故事

1644年，清军占领北京的消息传到南京，南京的明朝官僚拥立福王做皇帝，他就是历史上的弘光皇帝。当时史可法担任兵部尚书，已经成为福王朝中的一名重臣。但是奸臣马士英和阮大铖把持了南京南明朝廷的大权。他们结党营私，搜刮民财，过着荒淫无耻的生活。爱国人士看到这种情况，感到非常痛心。他们都把希望寄托在忠心为国的史可法身上。

马士英和阮大铖把史可法视作眼中钉，想尽办法想把史可法排挤出去，便叫他到扬州去督率军队。扬州是长江北岸形势险要的城市，也是保卫南京的重要据点。但是驻守扬州北面的几支军队纪律很差，经常扰害当地的百姓。史可法一到扬州，第一件事便是整顿军队的纪律。他下令严厉禁止军队欺压百姓，还惩办了一些扰害百姓的官兵。过了一些时日，那一带的社会秩序初步安定了下来。

史可法知道人才很重要，便在扬州专门设立了一个“礼贤馆”，接待各地前来的有本领的人。短时间里，就有不少人赶到扬州，为保卫国家贡献力量。

史可法处处以身作则，他跟士兵们同甘共苦，夜以继日地为国家操劳。大家被他的忠诚深深地感动了，都拥护他领导抗清斗争。不少人从外地写信给史可法，提出收复失地的计划。有些农民起义的队伍也表示愿意跟他联合抗清。

经过几个月的准备，史可法决定按计划向北方进军。他命令一个叫高杰的将军担任先锋，带头出兵收复河南的失地。不料高杰部下有个叫许定国的将领受到清军的收买，杀死了高杰，军队发生了混乱。史可法听到这个消息心里非常悲痛。他亲自赶到前线，费了不少力气，才把队伍安定下来。

接着另一件不幸的事情又发生了。原来驻守在武昌的大将左良玉，借口马士英、阮大铖在朝中胡作非为，不顾清军已经靠近，带领军队攻打南京。而马士英、阮大铖为了保住自己的权势，不顾一切地命令把前线的军队调回来，阻挡左良玉。南明朝廷的内斗正好给清军提供了进攻的机会。清军渡过淮河，一路向扬州猛扑过来。

史可法面临的困难越来越大了。他知道清军声势浩大，朝廷内部又四分五裂，要保卫扬州，谈何容易啊！但是这时候他已经下定了誓死与扬州共存亡的决心了。

几个月前，清朝的摄政王多尔衮就曾经给史可法写过一封信，威胁、利诱史可法投降，但被史可法坚决拒绝了。这次，清朝一个叫多铎的亲王，带领清军到达扬州城外的时候，也没有放弃劝降的念头。他先派了一个叫李遇春的汉奸，拿着招降书来到了扬州城下。李遇春看见城门紧闭，高声大叫：“开门!”

突然一声梆子响，城头上竖起了明军的大旗。大旗下面，史可法威严地站在城楼上。

李遇春刚要说话，就遭到了史可法的一顿痛骂。接着城上万箭齐发，李遇春赶紧抱着头，狼狈地逃了回去。

多铎还不死心，接着一连给史可法写了五封劝降信。可是史可法不为所动，多铎的劝降阴谋失败后，便调集人马把扬州城围了个水泄不通。

扬州城里只有几千明军，要抵挡十多万的清军是十分困难的，加上粮食也很缺乏。史可法派人到南京请求朝廷发兵支援，但马士英他们只知道争权夺利，对扬州保卫战采取了坐视不救的态度。

形势越来越危急，个别人开始动摇了。一天夜里，有两名将领偷偷地逃出城外，投降了清军。史可法召集全体官兵，声泪俱下地说："扬州是长江北岸的重镇。扬州失守，南京就保不住了。全军要同心协力，严密防守，目前的情况对我们很不利，但为了国家，我愿意跟大家一起，誓死保卫扬州!"听了史可法的话，官兵们眼里涌出了热泪，纷纷举起手臂，激动地高呼："我们愿意跟随史督师，死守扬州，誓不后退!"

接着，史可法把军队分成三个部分：一部分守城，一部分迎敌，一部分巡查。史可法下达军令："上阵不利，守城；守城不利，巷战；巷战不利，短接（肉搏）；短接不利，自尽!"

一场气壮山河的扬州保卫战开始了！史可法写了一封信给他的母亲和妻子，又把一个叫史德威的年轻将领叫到面前，对他说："我没有儿子，你就做我的义子吧！我死了以后，请你好好照顾我的老母亲。"说完，他头也不回地登上城楼，指挥战斗去了。

清军运来一批红夷大炮，朝着城墙猛轰。炮弹有小坛子那么大，它们带着凄厉的呼啸声，在城墙上到处开花，好几个地方被轰开了缺口。修补城墙已经来不及了，史可法叫士兵们赶快用沙袋堵住缺口，继续苦战。一批又一批清军冲上来，很快又被打了回去。将士们的眼睛里冒着怒火，热血在胸中沸腾。大家早已把生死置之度外。在史可法的亲自指挥下，一连几天，将士们击退了清军的多次进攻，清军死伤了好几千人。史可法在前沿阵地上往来奔走，几天几夜没有合过眼。他的双眼布满了血丝，显得比过去更加消瘦了，但爱国热情鼓舞着他，他丝毫没有倦意。

自清军进入山海关以来，从来没有遇到过这样猛烈的抵抗，从来没有遭受过这样惨重的损失！多铎暴怒了，他下令使用全部兵力，对扬州发动总攻击。

史可法看到扬州的西门最险要，便亲自到这里坐镇守卫。清军调集大炮，猛轰这里的城墙。城墙经不住炮火的轰击，一块块地崩坍下来，最后被轰开了一个大缺口。清军依仗人多势众，潮水般地涌进了缺口。扬州城被攻破了！

史可法看到情势十分危急，他不愿落入清军之手，便“嗖”地一声拔出宝剑，往自己的脖子上抹去。他身边的两个将领赶快冲过来，一把抱住他。史可法被救了下来，但鲜血已经溅湿了他的衣襟。两个将领正要抬史可法下城，一颗炮弹打了过来，两个将领都中弹牺牲了。一群清兵拥到了史可法的面前。

清兵看到鲜血淋漓的史可法，大吃一惊，立刻冲过去，抓住了他。

史可法昂着头，被押到多铎的面前。多铎一见到史可法，装出十分恭敬的样子说：“史先生，我曾经好几次托人带信给先生，都被先生退了回来，您也太固执了。今天先生已经为明朝尽到忠义了，我希望先生帮助我收降江南地区，请您答应好吗？”

史可法强忍住伤口的剧痛，愤怒地对多铎说：“我是大明的臣子，岂肯卖国求荣，做万世罪人！头可断，志不可屈。不必多讲了，赶快杀了我吧！”

看到史可法坚如磐石般的英雄气概，多铎知道要他投降是万万不可能了。多铎把脸一沉，露出凶恶的面孔说：“那好吧，你既然是忠臣，我就杀了你，成全你的志向吧！”

史可法朗声说："同扬州城共存亡，这是我早已抱定的志向。你把我碎尸万段，我也心甘情愿，但是千万不要杀害扬州城里的老百姓!"

这位忠心为国的爱国英雄，一直到生命的最后一刻，还念念不忘老百姓。这种精神是多么可贵啊!

史可法牺牲了，他部下大部分官兵也奋战而死。刘肇基带领剩下的400多将士，同扬州城民众一起，跟清军继续巷战，杀死几百名清兵，一直战斗到最后，没有一个人投降。史可法死后，不少爱国义士还到处打着史可法的旗号，假托史可法的名义，在长江南北继续进行艰苦的抗清斗争。

（选自《中国古代爱国英雄故事》，马允伦编著）

史可法（1601年—1645年），明末抗清名将，南明大臣，祥符（今河南开封）人，1628年中进士。曾任南京兵部尚书，英勇抗清，为清军所俘，从容就义。

英雄生死路，却似壮游时

——少年英雄夏完淳的故事

1645年，扬州失守，史可法壮烈牺牲以后，清军很快渡过长江，占领了南京。南明弘光皇帝的朝廷灭亡了，马士英、阮大铖等人投降了清朝。

清军占领南京时，夏完淳还不满15岁。夏完淳从小就很聪明，5岁时就读过不少书，8岁时诗文已经写得很不错了。夏完淳的父亲名叫夏允彝，是一个道德高尚、学识渊博的人。他对夏完淳很关心，对他的教育也很严格。不论到什么地方去，都把夏完淳带在自己的身边。在父亲的教导下，夏完淳进步得很快。他小小年纪，已经知道怎样关心国家大事，也能够提出自己的正确见解了，被人们称为“神童”。

清军继续向南方侵犯，占领苏州，一直打到夏完淳的家乡。夏允彝和夏完淳的老师陈子龙，联合一批爱国志士，在松江起兵抗清。年纪轻轻的夏完淳积极参加义军，成为义军里的一名骨干。夏允彝他们想利用清兵还没有站稳脚跟，发动一场攻势，准备把苏州夺回来。但是义军人数太少，战斗失败了。夏允彝不愿当俘虏，投湖殉国。

夏完淳好不容易才逃出敌人的包围圈。他决心继承父亲的遗志，继续抗清。他回家后把全部家产变卖作为起兵经费，找到了老师陈子龙和岳父钱彦林，一起来到了太湖。在太湖义军首领吴日生的领导下，夏完淳参加了反清的战斗，在军中任参谋。太湖义军不久也失败了。吴日生、陈子龙英勇牺牲，夏完淳家乡的附近一带都被清军占领了。夏完淳在老百姓的保护下，隐藏了一段时间。

过了两年，夏完淳秘密地回到家乡。清军占领南京后，明朝的一部分官员和义士拥护鲁王继续抗清。夏完淳暗中跟鲁王取得了联系，鲁王派人封夏完淳为中书舍人。夏完淳非常兴奋，他秘密地把40多位义士召集在一起，商量怎样开展抗清活动。人都到齐了，夏完淳提议：“我们应该联合写一道奏章给鲁王，拥护鲁王继续领导大家抗清，也表示我们抗清的决心。”

“对，对……”大家都很赞同。

大伙儿知道夏完淳不仅学问好，而且几年来已经积累了不少战斗经验，便异口同声地说：“这篇奏章就请你来写了。”

夏完淳也不推辞，他把爱国义愤完全倾注在笔头上了。奏章很快就写好了，每个人都在奏章上签上了自己的名字。

怎样才能避过敌人的检查，把奏章送到鲁王那儿呢？

“我去！”一个叫谢尧文的义士自告奋勇。

夏完淳很兴奋，他拍拍谢尧文的后背，带着期望的口气说：“你送奏章返回的时候，一定要把鲁王他们的意见带回来。你这一次的任务可不轻呀！希望你速去速回！”

夏完淳帮谢尧文把奏章藏在衣裳的夹缝里，亲自送谢尧文离开家乡。谢尧文带着奏章往东走，准备渡海赶到鲁王那里。不料半路上碰到清兵检查，奏章被发现了。清兵按照奏章上的签名，进行了大搜捕。

清兵闯进夏完淳的住宅，夏完淳被捕了。在被押送途中，夏完淳写下了“月白劳人唱，霜空毅魄归。英雄生死路，却似壮游时”的悲壮诗句。

清兵把夏完淳从松江押解到南京，把他送到坐镇南京的洪承畴那里。

洪承畴本来是明朝的官员，早在明朝灭亡前，就被崇祯皇帝派到东北去抵抗清兵。在一次战斗中，他被清兵打败，消息传到北京，有人说洪承畴在战斗中牺牲了，崇祯皇帝信以为真，还特地设了祭坛，亲自祭奠一番，可是贪生怕死的洪承畴并没有死，而是在被俘后可耻地投降了，并当了清朝的官。

当时长江以南的人民群众不断反抗清兵，使洪承畴大伤脑筋。夏完淳是江南出名的才子，还那么年轻。他想：只要想办法叫夏完淳投降，引诱其他人放下武器，也就不难了。

“来人!”洪承畴大叫道，“把夏完淳给我带来!”

洪承畴高高地坐在大厅上，两边一排排侍卫们，刀出鞘，箭上弦，一片杀气腾腾的样子。

夏完淳被带到洪承畴的面前。

洪承畴一拍桌子，声色俱厉地问：“下面站着的就是夏完淳吗?”

“你已经知道我是谁，为什么还要问?”夏完淳冷冷地说。

“你今年多大年纪?”

“17岁。”

“哈哈! 你还是个小孩子嘛! 懂得什么叫造反?”洪承畴阴阳怪气地笑了几声说，“好吧! 只要你肯归顺大清，我就放了你，还给你官做!”

夏完淳明明知道上面坐着的就是已经投降清朝的洪承畴，心里恨死了这个家伙，但是有意装作不知道，他说：“我是大明的忠臣。清军无端侵犯我国，烧杀掳掠，我保卫大明，造的什么反?”

没等洪承畴搭腔，夏完淳煞有介事地说：“我常常听别人说起，我们大明有一个大忠臣洪承畴，前几年在前线跟清军英勇血战，名扬四海。我年纪虽小，也要将洪老先生作为为国捐躯的榜样学习哩!”

洪承畴一听，心里既惭愧又高兴，忙问：“什么！你要拿他当榜样？”

侍卫们赶忙告诉夏完淳，审问他的人不是别人，就是洪承畴。

夏完淳立即装出气愤的样子，厉声叱责说：“胡说！洪老先生早就为国牺牲，天下的人谁不知道！我大明皇帝曾经在他牺牲后亲自祭奠他，大明的臣民也没有一个不为他痛哭流涕的。”

接着，他用手狠狠地向洪承畴一戳，大声说：“你到底是什么人？胆敢冒充洪老先生的大名，来玷污他的忠魂！你这个可耻的汉奸，洪老先生如果还活着，一定不会饶过你！”

夏完淳的几句话就像一把尖刀直刺洪承畴的胸膛。洪承畴虽然老奸巨猾，但在夏完淳的严厉斥责和辛辣的讽刺下，脸禁不住一直红到耳根，恨不得面前有个地缝儿，好钻进去。

“拉下去，给我狠狠地打！”豆大的汗珠从洪承畴的额角上渗了出来。

一看到洪承畴这副狼狈的样子，夏完淳像大夏天喝了一碗凉水一样痛快！

这时，夏完淳的岳父钱彦林也被抓到狱中。在敌人的威胁下，钱彦林有点儿惊慌失措。夏完淳看到了，坚定地鼓励道：“岳父，当初陈子龙老师和你、我三个人，一起发誓起义抗清，江南人民踊跃响应。今天我们跟在陈老师的后面，一起慷慨赴义，这不正是英雄本色吗？我们牺牲了，还有千百万人会起来为我们报仇的！”

在夏完淳的鼓励下，钱彦林也挺起了胸膛。

夏完淳被押解到刑场。他双目炯炯发光，直挺挺地立在刑场上，坚决不肯下跪。杀人不眨眼的刽子手，看到夏完淳那正气凛然的样子，吓得连正眼也不敢看。在监斩官的再三催促下，才哆哆嗦嗦地举起了手中的刀。夏完淳面对屠刀，昂首挺立，英勇就义。

夏完淳牺牲的时候，虽然还不满 17 岁，但他短暂的一生却留下了不少气壮山河、鼓舞人心的诗文。他的《南冠草》就是在监狱中写成的一本诗文集。少年英雄夏完淳在保家为国的斗争中坚贞不屈、视死如归的爱国精神，永远受到人们的尊敬和怀念。

（选自《中国古代爱国英雄故事》，马允伦编著）

夏完淳（1631 年—1647 年），南明抗清将领、诗人，松江华亭（今上海松江）人，14 岁起兵抗清，后被捕杀害，所作诗赋，悲歌慷慨。代表作品有《南冠草》等。

杀父报国，收复台湾

——民族英雄郑成功的故事

美丽富饶的宝岛台湾一直是我国神圣不可分割的领土。

300多年前，荷兰殖民者曾经占领过台湾，在那里剥削掠夺，残害台湾人民。后来我国军民发动了一次反侵略战争，把他们从台湾驱逐了出去。领导这次驱逐荷兰殖民者战争的，便是杰出的民族英雄郑成功。

郑成功原来叫郑森，从小便有为国立功的大志。父亲郑芝龙是明朝的将军，母亲是日本人。

清军攻下南京后，爱国人士除了拥护鲁王抗清外，部分大臣还在福州拥护唐王称帝。郑芝龙带了年轻的郑成功去朝见唐王，唐王问郑成功怎样才能救国，郑成功回答说："宋朝的岳飞说过，只要文臣不爱钱，武将不怕死，天下就安定了。这两句话，我看仍是正确的。"唐王听了，十分赞赏，便赐他朱姓（明朝皇室姓氏），把他的名字也改为"成功"，叫他带领一支人马，去抵抗清兵。

不久，清军打到福建，唐王兵败被俘。郑芝龙对前途丧失了信心，向清军投降了。郑成功当时只有22岁，他看到国破家亡，百姓遭殃，心里非常悲愤。他对父亲卖国投降的行为感到非常痛恨，便举起"杀父报国"

的大旗，同战友们乘船到了广东，在那里募集义军，准备继续抗清。

后来，郑成功进驻福建厦门、金门两岛，他把这里作为抗清的根据地。接着，他又攻下了福建南部几个地方，当地群众纷纷起来响应。那时，清军进入云南、广西一带，形势十分危急。为了牵制敌人，郑成功领兵北伐。大军攻到长江，包围了南京城。但在南京城外，大军损失惨重，不得不退兵回到厦门。

清朝统治者害怕他们再来进攻，下令沿海居民迁移到内地，把沿海所有船只都烧毁了。敌人企图用这种恶毒的手段，断绝大陆人民对郑成功的支援，妄想把郑成功的义军困死在厦门、金门。

怎样才能突破敌人的封锁，打开新的局面呢？郑成功召集将士们，叫大家献计献策。一个将领说：“厦门、金门对面的台湾现在还被红毛番(当时民众对荷兰殖民者的称呼) 所占领，我们如果出兵收复台湾，不仅可以解救受苦的台湾百姓，而且我们也就有了一个理想的抗清基地了。”郑成功很赞同这个意见。主意一定，郑成功马上着手进行东征台湾的准备工作。

春天的阳光分外灿烂，金门岛的一个广场上，人山人海，盛况空前，原来这是郑成功在举行隆重的“誓师大会”。会场上，旗帜飘扬，金鼓齐鸣。将士们排着整齐的行列，整装待发。老百姓们听到消息，都赶来观看。

郑成功英姿焕发地站在将台上，对将士们说：“红毛番霸占我们的台湾已经30多年了！台湾同胞正处在水深火热之中。我们一定要打到台湾去，拯救那里的百姓。我们还要把台湾作为抗清的基地。这次东征的意义很重大，大家一定要严守军纪，有进无退!”

洪钟般的声音响彻了整个广场。在郑成功的鼓舞下，将士们个个摩拳擦掌，恨不得一下子飞过台湾海峡，打到台湾去。

誓师大会结束了。郑成功统率25000名将士，坐上100多艘战舰，乘风破浪，朝东前进，一直驶到了台湾的鹿耳门，大军就在这里开始登陆。

荷兰殖民者的总督揆一听说郑成功的大军来了，赶快命令一个叫拔鬼仔的将领，带领荷军前来阻击。郑军战士们奋勇冲杀，很快消灭了100多名荷军，当场把拔鬼仔也打死了。

揆一又派一个叫阿尔杜的将领率兵增援，也被郑军打得落花流水。

郑军乘胜前进，很快包围了敌人的重要据点赤嵌城。赤嵌城的守将苗难实丁爬到城楼上一看，只见郑军军威壮盛，人人争先，吓得浑身发抖。强大的攻城战开始了。苗难实丁在城头挂起一面白旗，向郑成功投降了。

赤嵌城被郑成功收复了。揆一见情势不妙，一面赶紧派人渡海到爪哇(印度尼西亚共和国的一个岛，当时是荷兰的殖民地) 去请救兵，一面想出了一个缓兵之计。他向郑成功提出，愿意献出白银10万两，并且表示每年向郑成功进贡财物。揆一使出这套花招，妄图继续霸占台湾，打算等援兵一到，再进行反扑。敌人的诡计哪里瞒得过郑成功，他断然拒绝了揆一的请求，义正词严地斥责荷兰侵略者说："台湾，是我们中国神圣的领土，你们荷兰人有什么理由霸占？今天我们来了，你们非滚出去不可!"郑成功的话，表达了全中国人民共同的意志。

揆一见阴谋不能得逞，便躲进了台湾城，进行顽抗。郑成功知道，不给敌人沉重打击，侵略者是决不会屈服的。不过台湾城造得很坚固，城墙足有6尺来厚，要硬攻进去，就非要付出重大牺牲不可，他决定采取长期围困的办法。郑军把台湾城团团包围起来。台湾城附近的高山族群众，听说郑成功的大军来了，就拿起木棍、竹刀，援助郑军打击敌人。

揆一日夜盼望的救兵总算到了。这批救兵在将军尤卡的带领下，从爪哇坐了10艘兵船，开到台湾海面附近。

郑成功早已率领战舰等候在海边。敌舰一到，一场激烈的海战开始了。敌军虽然配备洋枪洋炮，但在勇敢的郑军战士们面前，洋枪洋炮也救不了他们的命。敌船一靠近，战士们就奋不顾身地跳了过去。刀砍枪刺，敌人纷纷跳水逃命。战斗中，郑军缴获了2艘战船、3艘炮艇，打死、打伤和俘虏敌军480多名。尤卡吃了败仗，一个人逃上岸来，成了“光杆司令”。他逃进台湾城，跟揆一躲在城里，不敢出来。

总攻的时机到了。郑成功下达了攻城的命令，战士们不顾城上炮火猛烈，猛打猛冲，勇不可当，很快就夺取了台湾城的外堡。台湾城跟外面的联系断绝了。台湾城内既没有水，又没有粮，揆一、尤卡面面相觑，束手无策，只好效法赤嵌城苗难实丁的样子，在城楼上竖起一面白旗，投降了！接着，揆一代表荷兰政府在投降书上乖乖地签了字，并向郑成功交出了枪炮等军用物资。几天以后，揆一率领残兵败将和荷兰的官吏、商人们，狼狈地离开了台湾。

沦陷了多年的我国领土台湾，重新回到了祖国的怀抱。领导收复台湾的郑成功，成了中国人民反侵略斗争的榜样。

收复台湾5个月后，郑成功因长年征战，积劳成疾，身患重病。他思念故土，天天坐在将台上，面向大海，眺望祖国大陆。郑成功不幸病逝，年仅37岁。台湾人民为了永远缅怀郑成功这位爱国英雄，特在台中县大甲镇东北海滨的铁砧山上，竖立起他的塑像。那塑像面向大海遥望大陆，表达了郑成功心向祖国、怀念故乡的深厚感情。

(选自《中国古代爱国英雄故事》，马允伦编著)

郑成功（1624年—1662年），民族英雄，明清之际收复台湾名将，南安（今属福建）人。1646年，反对其父降清，在南澳（今属广东）起兵抗清，后率兵一举收复台湾。积劳成疾，逝世时年仅37岁。

“也留正气在乾坤”

——抗清大臣张煌言的故事

明朝末年，清军入关，仅一年多时间，就占领北京，攻陷南京，兵临浙江。1645 年初夏，当清军占领杭州时，浙东地区的老百姓纷纷揭竿而起，反抗清军。一个 26 岁的平民读书人张煌言，也从此开始了长达 19 年之久的抗清斗争事业。

浙东抗清义军初起时，张煌言以舟山为根据地，联络四明山区的义军，屡次进攻清军占领的县城，吓得浙东各城的清兵大白天都不敢开城门。不久，舟山遭到清军重兵围攻，终于失陷。他又到台州组织新的义军队伍，乘海船北上，攻克崇明，溯长江直抵镇江金山和南京燕子矶，并于归途中夺回了舟山。

1659 年 5 月，张煌言率领所部义军，与郑成功的军队会合，从海路突入长江。江岸炮台的清军闻风而溃，郑、张联军一举攻克大运河和长江交汇处的瓜洲城。

为了扩大战果，张煌言兵不血刃，以芜湖为据点，光复 4 府、3 州、24 县，计城池近 30 座，湘、赣、鲁、豫等省的有志之士，也多亲来军前，愿受指挥。一时人心振奋，江淮半壁为之震动。

正当张煌言在长江中游地区取得节节胜利之时，围攻南京的郑成功，由于轻敌疏忽，吃了败仗，匆匆退出长江，回师福建去了。郑军一退，清军马上集中兵力对付张煌言：一边封锁长江，堵住他的退路；一边调兵遣将，向张煌言这支孤军进攻。

张煌言被迫进入大别山区，作持久抗清的打算。清军大队人马尾追而至，义军将士们被包围在山岭上。张煌言挺枪大呼，奋勇闯入敌群，连刺带挑，杀伤清兵数十人，终于冲开一条血路，突出了重围。这时，他身边只有一个携印的少年战士了。

张煌言请当地老乡做向导，绕道皖南、浙西，向浙东根据地走去。崎岖的山路磨得他十趾出血，脚后跟开裂，途中他又患了疟疾，骨瘦如柴，抱病赶路，汗如雨下。经过2000余里的艰难跋涉，张煌言终于回到了浙东。然而，这时的抗清局势已经有了很大的变化：郑成功渡海收复台湾去了；南明永历政权在吴三桂率领的清军追击下，遭到了覆灭；农民起义军出身的抗清英雄李定国，壮志未酬，抱恨终天。张煌言成了最后的一面抗清旗帜。

处于势孤力单境地的张煌言，并没有丧失斗争的信心。当清朝的浙江提督赵廷臣写信劝他投降时，他坚决地回答：“你是清朝的大官，我是明代的孤臣，地位不同，志向各异。我早把功名富贵看得像浮云，胜负成败尽力而已。”信末还附了两句诗，结句是：“赢得孤臣同硕果，也留正气在乾坤。”

清朝统治者把张煌言视作眼中钉。1664年3月，调集重兵，围袭张煌言，他为了避免无谓牺牲，带领少数人隐居在浙东南田岛西面的一个小海岛上，等待机会东山再起。

张煌言不死，清朝统治者心不安，便发出了悬赏通缉张煌言，并收买了张煌言的一个旧部下，趁黑夜偷袭海岛。张煌言发觉有异，起身拔剑，不料宝剑被帐子裹住，清军蜂拥上前，把他擒住。

清军把张煌言押解到宁波。宁波人民得到这一消息，纷纷聚集在城外大道的两旁，都想能最后一次看看这位英雄。只见他，神色镇静，态度从容，头戴明朝文人常戴的方巾，身穿深色葛布长衫。将近 20 年来，人们在衣冠装束上，最感到痛心刺目的，是脑壳后面拖一条辫子，今天忽然见到这位明朝衣冠装束、坚持民族气节的英雄，无不潸然涕下。

到了提督府门前，押解的差官按照犯人不走正门的惯例，要张煌言从边门进去。张煌言屹立不动。清朝的浙江提督妄图劝降，忙将他从正门请进，并叫人摆开了酒席。张煌言昂首拒绝说：“父死不能葬，国亡不能救，死有余辜。今日之事，速死而已！”说罢转过身子，不说话，也不吃东西。

过了 10 多天，张煌言被押解到杭州去。宁波父老闻讯，不管警戒的清军如何虎视鹰瞵，还是有好几千人赶往码头送行。张煌言出城门后，朝北四拜，表示向故国辞别，说：“臣的志向完毕了！”又朝城门四拜，表示向故乡辞别，说：“怪我无能，叫故乡父老白白苦了 20 年，辜负了大家的期望。”然后，他向送行的父老乡亲拱拱手，感谢他们的盛情，便上了船。此情此景，使在场的人都失声痛哭起来。

押送的船只过钱塘江时，张煌言又一次想起了被元朝军队押到北方去的文天祥。为了表明自己决死的心迹，他向船家索取纸笔，写了两首诗：

义帜纵横二十年，岂知闰位在于阗，
桐江空系严光钓，震泽难回范蠡船。
生比鸿毛犹负国，死留碧血欲支天，
忠贞自是孤臣事，敢望千秋春史传！
国亡家破欲何之？西子湖头有我师。

日月双悬于氏墓，乾坤半壁岳家祠。

惭将赤手分三席，敢为丹心借一枝。

他日素车东浙路，怒涛岂必属鸱夷。

他早已不惜牺牲生命，愿将碧血献给国家，而且把自己的忠贞行为看作是孤臣的本分，并不敢指望在青史上留下千秋美名。他想到国已亡、家已破，西湖边上有自己的楷模在，那就是南宋抗金英雄岳飞，还有本朝200多年前保卫京师抗击瓦剌的英雄于谦。

张煌言被押送到了杭州。那个先前劝降张煌言碰过壁的浙江提督赵廷臣，再一次诱他投降，还保证清廷能起用他为兵部尚书。张煌言坚决拒绝，并仿效屈原的《离骚》，在狱中墙壁上大书《放歌》一首，说：“予生则中华兮，死则大明，寸丹为重兮，七尺为轻……予之浩气兮，化为雷霆，予之精魂兮，变为日星，尚足留纲常于万祀兮，垂节义于千龄……”

清朝统治者不敢把他解送北京，恐途中不测，也不敢把他再关押下去，决定将他就在杭州处死。

1664年农历九月初七日这天，一队清兵押解着张煌言到了刑场。张煌言遥望凤凰山一带山色，想到自己今年45岁，今天的日子是九月初七，南明的天下仿佛一座崩坍的大厦，已经支不起来了。自己奋战19年，尽了自己爱国的忠心。他当即口述绝命诗一首，命书吏记下：“我年适五九，偏逢九月七，大厦已不支，成仁万事毕。”

临刑时，刽子手按处决例，要他跪下。张煌言坚决不肯跪，昂首挺立，壮烈就义于刀下。

张煌言死后，尸体被弃于荒郊。那时他的妻子早已被清军囚死在狱中，儿子比他早三天遭到杀害。可是，敬仰他的人实在太多了。有的收拾了他的遗体，有的捐出银两，教张煌言的外甥到提督衙门买出张煌言的首级，合成全尸；并按他生前“高坟武穆连忠肃，添得新祠一座无”的愿望，在杭州南屏山的荔枝峰下，连着岳飞与于谦两座坟墓，为他安葬。葬时坟址只黄土一抔，没有墓碑，有人在一方端砚背面刻了张煌言的姓名，暗暗埋入坟土里。许多年以后，才立墓碑。

张煌言大义凛然的民族气节和不屈不挠的斗争事迹，受到人民群众深深的敬仰与爱戴。

（选自《中国古代爱国者的故事》，作者李光羽）

张煌言（1620年—1664年），南明大臣，文学家，号苍水，浙江鄞县（今浙江宁波）人。1645年起兵抗清，官至南明兵部尚书。1659年与郑成功合兵攻南京，后郑兵败，张煌言孤军无援而退，被俘遭杀害。其诗文慷慨激昂，著有《张苍水集》等。

“天下兴亡，匹夫有责”

——思想家顾炎武的故事

“天下兴亡，匹夫有责”，这是从明清之际的思想家顾炎武著作《日知录》的一段话中概括出来的一句名言。300年来，这掷地有声的8个字，一直激励着中国人民的民族气节和爱国主义的战斗精神。

1645年，清军南下攻破南京、进兵苏州时，32岁的顾炎武积极参加苏州人民自动组织的抗清义军。不幸这次起义很快就失败了，几乎半城的居民被清兵屠杀。接着顾炎武等人又在家乡昆山举事，杀死清朝派来的知县，焚烧了县衙门，并推举出守城的指挥官，封闭城门，准备抗清。保卫昆山的战斗坚持了21天，终因势孤力单，被清军攻破了城池。顾炎武由于掩护得好，没有遇难；但他的四弟和五弟都被清兵杀死，他的生母何氏也被清兵砍断了右臂。清军接着攻破常熟。顾炎武的嗣母王氏得到消息，绝食15天后死去。面对国亡家破的遭遇，顾炎武痛心疾首，他的抗清思想更加坚定了。

为了壮大力量，联络各方抗清义军，顾炎武在大江南北秘密奔走了好几年，联络并团结了一批分散在各地的抗清力量，在社会上赢得了较高的声誉。尽管他用“蒋山傭”这个化名，还是引起了清朝统治者的注意，也遭到一些清军一到就做“顺民”的人的忌恨。

昆山县有个大地主叶方恒，他为霸占顾氏的田产，同顾炎武结下过冤仇。当顾炎武参加苏州、昆山义军奋起抗清时，叶方恒却投降了清军。他获悉顾炎武奔走联络抗清的事，就企图以告密来向清朝统治者献媚。1665年5月，顾炎武为了联络一件重要的事情返回昆山时，叶方恒便以“密谋造反”的罪名，向清朝官府告发，并且不等官府派人来，就私自把顾炎武抓到家中，进行侮辱、审问和拷打，甚至逼迫他自杀。后来，朋友费了很多周折，才把顾炎武营救出来。

可是叶方恒还不罢休。第二年，顾炎武到南京去，叶方恒暗暗派遣打手跟踪顾炎武到南京城门外，把他从驴背上拖下来，痛打了一顿。顾炎武的头部受了重伤，如果不是当时有人救助，很可能被打死。

清朝统治者及其帮凶的迫害，使得顾炎武的斗志更加昂扬。他在南京明孝陵洒泪祭过明太祖朱元璋的陵墓之后，便渡江北上，到了山东。两年后，顾炎武又把活动范围从山东扩大到河北，并到山海关、居庸关、古北口、昌平、昌黎等地，实际考察了许多与国防密切相关的地理情况。

经过多年的考察活动，顾炎武认为西北居高临下，形势险要，进可以攻，退可以守，是当时对清军打击最大的抗战策源地之一。因此，他又把抗清的希望寄托在西北。他由山东动身到西北后，除了奔走联络抗清志士之外，有时还亲自参加和组织生产，兴修水利，把江南的水车、水磨介绍到北方，并提倡发展林牧。他这样做，是想尽力为复国运动积累物质基础。

然而，这时清朝的历史已经由顺治翻到了康熙的一页。明朝的恢复似乎已经不可能了。顾炎武的眼光却因此而放得更远了。从《日知录》卷十三中的一段话，可以看出他当时的思想：

有亡国，有亡天下。亡国与亡天下奚辨？曰：易姓改号，谓之亡国。仁义充塞，而至于率兽食人，人将相食，谓之亡天下……知保天下然后知保其国。保国者，其君其臣，肉食者谋之；保天下者，匹夫之贱与有责焉耳矣。

他所谓的“亡国”，是指国家政权的丧失；所谓的“亡天下”，是指社会道德的沦亡。政权丧失，以至改朝换代，不过是统治阶级的事；至于道德沦亡，匹夫（普通老百姓）也有抢救的责任。这后一句话，就是“天下兴亡，匹夫有责”的由来。

顾炎武正是怀着“天下兴亡，匹夫有责”的抱负，于1665年回到山东，在章丘县长白山下的大桑家庄，典了一所房子、一块田地，暂住下来。他要把头脑中日渐酝酿成熟的对国计民生等大事的看法，以及多年来实地考察所得的体会，编写成书，告诉给大家。

在大桑家庄，顾炎武除了有时亲自参加农业劳动外，大部分精力都用来发愤著作。他的代表作《日知录》，就是一天天把思想的精粹积累起来而写成的。

发愤著书的顾炎武，对于每一寸光阴都极其珍惜。他时时刻刻牢记国家和民族的灾难，一生治学，始终不懈。顾炎武平生具有代表性的著作，差不多都是在这个时期写成。其间，他还被控告参与“逆书”的修订，在济南的监狱中被囚将近7个月，受了不少折磨，幸亏友人多方打点、营救，才得到释放。一出监狱，他又马上写他的书去了。顾炎武著书的意志和爱国的坚贞，正如他在《精卫·万事有不平》中写的：

我愿平东海，身沉心不改。

大海无平期，我心无绝时。

1678年，清朝统治者在北京开设“博学鸿儒”科，征举海内有名望的学者，官费保送入京，企图用官禄利诱的手段，把明朝的遗民文人尽皆网

罗。顾炎武自然是一个极为引人注目的对象，但他坚决表示：“我只有一把短刀，一条长绳，谁要逼我，我就和谁拼命。”主修《明史》的清朝大学士写信邀他共事，他答道：“愿以一死谢公。”有人想把顾炎武推荐出去，他致书说：“先母是为国亡绝食而终的，别人尽管去应召，我却绝对不可能。况且我已近 70 岁了，除了一死还有什么可指望的？如果一定逼我，我必以身殉职。”

顾炎武学识渊博，对于国家典制、郡邑掌故、天文仪象、河漕、兵农以及经史百家、音韵训诂之学，都有研究。他的治学对清代的朴学风气有深刻影响，他的学术著作是留给后人的一笔很珍贵的思想遗产。

（选自《中国古代爱国者的故事》，作者俞沛铭）

顾炎武（1613 年—1682 年），明清之际思想家、学者，号亭林，昆山（今江苏昆山）人，出身江南大族。他对郡邑掌故、天文仪象、经史百家均有研究。著有《日知录》《音学五书》等。

“生既须笃挚，死亦要精神”

——爱国名医傅青主的故事

山西太原北门外，竖立着一块“傅征君故里”的石碑。对着石碑，老人们爱向青年人讲述流传了300多年的一位爱国“医圣”的故事。

那是清军入关对关内人民烧杀掳掠的动乱岁月，不甘屈服的山西人民，纷纷逃亡到深山老林里。太原北门外的青羊山麓，有一位头戴黄冠、身穿朱衣的壮年人，同他的老母亲、孩子在山洞里栖身。洞口石壁上，刻着三个苍劲有力的大字——“霜红龛”。洞里，竖放着采樵的斧子、垦荒的锄头，横挂着行草劲逸的条幅：“既是为山平不得，我来添尔一峰青”“未灭匈奴无为家，太原人作太原侨”。意思是，自己是黄帝的子孙、青山的主人，但却有家难归，“侨居”深山。他头戴黄冠，身穿朱衣，表示不忘黄帝祖先，并把“霜红龛”石洞作为联络爱同志士的秘密据点。

这天，“霜红龛”石洞人声鼎沸，一位血气方刚的青年人慷慨激昂地演说着，同他一起来的人们也大声议论着。原来，他们正在酝酿反清斗争计划：遍游北方，纠集志士，组织武装。这时壮年人也兴奋地和盘托出一个深思熟虑的计划：由于中原屡经战乱，疾病蔓延，人民无处求医觅药，只能卧床待毙。他家里藏有不少医药典籍与秘方抄本，他决定不搞从小酷爱并已盛名晋中的诗文书画，改攻医学，解除人民疾苦，并以治病为掩护，继续从事反清斗争。

就这样，他日以继夜地钻研起医学来，一面攻读，一面行医。不几年，“朱衣道人”的名号盖过了他的原名。这位“朱衣道人”，就是后来成为一代名医的傅青主。

1654年是傅青主行医的第10个年头，清朝统治者获得傅青主行医反清的告密，把他列为皇帝钦定的要犯，打入大牢。傅青主受尽了严刑拷打，却不吐一句口供。监狱里不能行医治病，他就吟起悲壮的诗篇，激发同狱战友的斗志。监狱院墙内有一棵枝干如铁、风骨嶙峋的老椿树，傅青主满怀深挚的感情，为它写了颂诗：“狱中无乐意，鸟雀难一来。即此老椿树，亦如生铁材。高枝丽云日，瘦干能风霾，深夜鸣金石，坚贞似有侪。”很快，这首诗在狱中难友间传了开来。

为了抗议清朝统治者的迫害，傅青主在狱中绝食，一直坚持了9天，他的斗争精神使难友们受到很大的鼓舞。他对难友们说，像老椿树那样，似铁坚硬，威武不屈，就能“口不吐三峡（坚不吐供），胸能党八柞（抵抗严刑）”。在傅青主的影响下，难友们结成了一个坚强的团体，大家互相以老椿树的形象砥砺，以“口不吐三峡，胸能党八柞”相誓，在严刑逼供下，绝口不吐一词。不少同狱难友吟诵着傅青主的狱中诗，慷慨就义。

由于傅青主深孚众望，社会各界多方营救，清朝统治者被迫把傅青主放了出来。虎口余生的傅青主更增添了爱国的热情和斗争的决心。傅青主几十年如一日，风里来，雨里去，一边行医治病，一边从事反清活动。由于清朝的统治已经逐渐巩固，他的反清活动失败了，但是正如顾炎武所称颂的，“苍龙日暮还行雨，老树春深更著花”。晚年的傅青主，在医学上的成就到达了时代的高峰，在反对清朝收买的斗争中，写下了可歌可泣的篇章。

清朝统治者诏令开设“博学鸿儒”科，用官禄来利诱分化反清的文人学者。一些人放弃了反清立场，纷纷应征，企望得个名利双收的称号。傅青主视富贵若浮云，不加考虑。府县官们鉴于傅青主在学术上的巨大影响，强迫他应征。傅青主精通医道，装出瘫痪的症候，加以拒绝。府县官们不甘心，说：“就是抬也要把你抬到京城去。”傅青主严词拒绝，回答他们：“生既须笃挚，死亦要精神。”就是说，他活着是黄帝的子孙，执着地眷恋着故国，就是死了，也要讲民族的气节，做爱国的鬼雄。

府县官们不由分说，根据朝廷的旨意，硬把他按上轿子，绑架赴京。傅青主抱定信念，准备以身殉节。他赠诗儿孙道别，“此死心舒极，儿孙切莫哀”“人间书绝笔，箕尾五云开”。在崎岖的山路上，他趁轿夫、解差不注意，把自己的腿静脉凿破，流血不止，一滴一滴的鲜血洒在赴京的路途上。待到离京 30 里的地方，他的两腿已枯瘦如柴，只能卧床休养。他住宿的客店一时门庭若市，访客络绎不绝。朝廷派了大小官员，走马灯似地前来劝说，要他进京任职；市民百姓景仰一代名医的崇高气节，也纷纷前往探病、慰问。

直到第二年春，傅青主的顽强斗争精神与笃挚的爱国情怀，震惊了重视人才的康熙皇帝。康熙皇帝特地下了一道“圣旨”：傅青主免于应试，特授“内阁中书”官衔。传令官们强拉硬按，把傅青主抬进皇宫“谢恩”。傅青主只感到“死之有余恨，不死亦羞涩”，宁死不低头，直挺挺地栽倒在地，只见血泪流满殿阶。官员们无可奈何，只得把他送回故乡。

回乡后，傅青主又背起药笼，救死扶伤，行医四方。直到 1684 年以 78 岁的高龄去世。他死后，几千名乡民为他戴孝送葬。傅青主带着深厚笃挚的爱国感情，抱恨九泉。

（选自《中国古代爱国者的故事》，作者王国荣）

傅青主（1607年—1684年），即傅山，明清之际思想家、医学家，山西太原人。明亡后，号朱衣道人。傅青主精通经史诸子和佛道之学，兼工诗文、书画、金石，又精于医学。著有《霜红龛集》等。

“辛苦事亲征”

——康熙皇帝的故事

在我国漫长的历史长河中，出现过一些比较贤明的君主，他们对我国历史的发展起过一定的积极作用。清初的康熙皇帝就是这样一位杰出的历史人物。他在位时，顺应历史发展的趋势和人民的愿望，平定了三藩割据势力的叛乱，击败了沙俄侵略者，消灭了噶尔丹叛国集团，维护了祖国的统一，安定了社会秩序，发展了生产。他是一个爱国有为的皇帝。

康熙皇帝继位的时候，面临着国内社会经济凋敝、民族斗争和阶级斗争交错的复杂形势。由于长期的战争，以及清军入关后血腥屠杀人民、圈占土地，致使人口减少，土地荒芜，大批农民流离失所。朝廷里大臣鳌拜专擅朝政，独断独行，排除异己，广树党羽，飞扬跋扈，致使满汉官员之间矛盾尖锐。地方上，吴三桂等三个藩王已发展成为割据势力。还有一些少数民族的上层反动分子，反对统一政策，或图谋分裂，或叛国投敌。在国外，沙皇俄国不断侵略我国北部边疆，使民族独立、国家安全受到严重威胁。因此，恢复和发展社会经济、反对分裂割据、抵御外来侵略、巩固国家的统一、安定社会秩序就成为时代的迫切需要。

康熙皇帝不愧为统治阶级中一个有远见的人物。1667 年他 14 岁时亲政，1669年逮捕了鳌拜。接着，他革新政治，恢复内阁制度，选拔汉人进入中央领导机构，部分限制满族贵族的特权，进一步加强皇帝的权力。经济上，下令停止圈地、奖励垦荒，宣布明朝藩王土地归现在耕种的人所有，叫做“更名田”。同时兴修水利，减免赋税。展示了一种振奋有为的气势，表现了康熙皇帝的胆略、魄力和勇气。1673年，康熙皇帝20岁时，三藩（三个被封为王爵的明朝降将，踞云贵的平西王吴三桂，踞广东的定南王尚可喜，踞福建的靖南王耿精忠）叛乱，企图裂土封疆。康熙皇帝在全国人民的支持下，用了8年时间平定叛乱，维护了国家的统一。1683年又出兵统一台湾，清政府在那里设置台湾府，加强了台湾同祖国大陆的联系，促进了台湾的开发。

在祖国北边，早在1643年，沙俄就先后派遣侵略者越过外兴安岭，入侵黑龙江流域，公元1650年，强占了雅克萨等地。与此同时，沙俄还派出军队越过贝加尔湖东进，于1652年侵占尼布楚等地。当地人民正告他们，黑龙江流域人民“臣服中国的皇帝”，向中国皇帝交纳赋税，这里自古以来就是中国的领土。侵略者置若罔闻，他们到处杀戮人民，强奸妇女，焚烧房屋，肆行抢掠，美丽的黑龙江两岸变成了满目疮痍的废墟。

世代居住在黑龙江流域的各族人民同侵略者进行了殊死的斗争。1658年，清政府命令宁古塔都统沙尔虎达坚决反击沙俄侵略者。在人民群众的支持下，清军把侵略者打得丢盔弃甲。过了两年，沙皇又派兵侵入黑龙江流域，沙尔虎达的儿子巴海奋起抗击，打得侵略者尸横遍野，狼狈逃命。

面对沙俄的不断入侵，清政府一再提出抗议和警告，要求他们撤离中国领土。1675年，康熙皇帝又向沙俄政府提出和平解决边界问题的建议，沙俄政府无视清政府的要求，狂妄地提出要清政府“归依沙皇陛下最高统治之下”，并从西伯利亚各地招募一千名哥萨克兵，前来黑龙江地区增援，还决定在雅克萨建立统领辖区，妄图把我国领土并入他们的版图。康熙皇帝认识到，对于侵略成性的强盗，单靠和平谈判是解决不了问题的。于是决心组织自卫反击战，用武力严惩入侵者。他在军事上做了充分准备，不断派出部队侦察敌情，派中央大臣督造战船，把得力将领调到东北各地。从 1677 年起，他每年出巡东北，检查战备工作。

康熙皇帝反击沙俄侵略者的行动，使边疆各族人民深受鼓舞，他们纷纷磨刀擦枪，准备配合军队同侵略者决一死战。人民群众的高昂斗志，也鼓舞了康熙皇帝的抗敌决心。《松花江放船歌》就是康熙皇帝在 1682 年春末夏初出巡吉林时，看见各族人民反击入侵者的高昂斗志和松花江水师演兵习武的盛况，而写下的一首优美颂歌。他在歌词里描写了松花江上如诗如画的景色，抒发了自己对祖国大好河山的赞美之情，记述了中国水师船舰威武雄壮的阵容和战士们勇猛刚强的斗志，预言出师必捷，祖国统一、强大、光明、安定的局面必将到来。

1685 年 2 月，康熙皇帝命令都统彭春、郎坦、萨布素等将领，带领一支由满、汉、蒙古、达斡尔、鄂温克等多民族人民组成的军队，分水陆两路进攻侵占雅克萨的沙俄军队。6 月 25 日晚，进攻雅克萨城的战斗打响了，中国军民怀着对侵略者的满腔仇恨，勇猛进攻，敌人被迫投降。但是沙俄并没有放弃其侵略扩张的野心，清军撤回后，他们又再次侵占了雅克萨城。1686 年 7 月，康熙皇帝再次派兵包围雅克萨城，经过 3 个月的激战，沙俄侵略军仅剩下 60 多人，不得不放下武器，同意通过谈判解决两国关系问题。

1689 年，中俄双方代表在尼布楚谈判，于当年 9 月 7 日正式签订了平等的《尼布楚条约》，规定了中俄双方边界，从法律上肯定了黑龙江和乌苏里江流域包括库页岛在内的广大地区都是中国的领土。康熙皇帝组织的自卫反击战，捍卫了国家的主权和领土完整。

康熙皇帝打败了侵入我东北边疆的沙俄侵略者后，又平定了准噶尔反动贵族分裂祖国的叛乱。

1677年，新疆地区的噶尔丹在老沙皇的支持和国内一些分裂分子的怂恿下，自称为可汗，公然向康熙皇帝提出“圣上君南方，我长北方”，妄图分裂祖国。1690年，沙俄唆使反动贵族噶尔丹以追击漠北蒙古为名，悍然进攻内蒙古，发动了反对清政府的叛乱。国家统一和民族团结又受到了严重的威胁，康熙皇帝愤怒指出，只有“捣其巢穴”“方为万年之计”。他亲自率领大军出长城平叛。一些贪生怕死的大臣怕跟随皇帝出征，便想方设法加以阻拦。康熙皇帝严厉警告这些大臣说：“不奋勇往前，逡巡退后，朕必诛之。”坚定地指挥大军前进。经过康熙皇帝三次亲征，噶尔丹彻底失败自杀，余众三百人投降。后来，噶尔丹的侄子策妄阿拉布又在老沙皇的策动下发动叛乱，也被康熙皇帝派兵平定。

康熙皇帝在第二次亲征途中写下了《瀚海》这首诗，描述他所率领的为维护祖国统一的正义之师，不辞征战辛苦，履被浮沙填塞仍急急赶路的情景。诗中写道：“敢云黄屋重？辛苦事亲征。”意思是说：怎敢说当了皇帝就特别贵重？为了祖国统一，我也要不畏艰辛亲自奔赴战场！

康熙皇帝为平定分裂势力的叛乱，反击沙皇的侵略而斗争了一生。1722年冬，康熙皇帝因病去世。临终前，他还再三叮嘱大臣们不要忘记武备，要巩固国防，时刻警惕外来侵略者，确保祖国的安全。

（选自《华夏之声》，陈家经等编著）

康熙是清朝第四位皇帝爱新觉罗·玄烨的年号，1661年至1722年在位。在位61年间，平息内乱，抗击沙俄侵略者，鼓励发展农业，为维护国家统一和主权完整做出了杰出贡献。

中国近代史的开篇

——民族英雄林则徐的故事

18世纪末，英国商人从印度把大量的鸦片运进中国。他们的目的一方面是捞取大量的黄金白银；另一方面是想用这些毒品来毒害中国人民。当时在广州的街头巷尾，时常可以见到一些面黄肌瘦、精神萎靡、丧失劳动力的人，这就是人们吸食鸦片烟后的惨状。如果长此下去，中国就有亡国灭种的危险。

鸦片流毒中国，激起了全国人民的愤慨，纷纷要求清朝政府下令禁烟。在这场禁烟运动中，林则徐就是一个杰出的代表。林则徐出身于一个破落的地主家庭，幼年时候，读书很用功，受到了爱国主义的教育。27岁起开始做官，办事认真负责，关心人民疾苦。在江苏任巡抚时，清理多年的积案，替被欺压的人民申冤，人民称他为“林青天”！自从鸦片流毒中国，他几次上奏章给道光皇帝，说明烟毒的危害和必须禁烟的道理。他在呈报的公文里指出：如果不把鸦片严加禁绝，将来国家不但无人可以当兵，而且也筹不起粮饷。林则徐冲破了以穆章阿为首的反对派的重重阻拦，终于说服了道光皇帝。1838年11月15日，林则徐受命为钦差大臣，带着关防赶到广州查禁鸦片。临走时，他向自己的师友们表示：“祸福生死，早已置之度外，定要尽最大努力，为国家人民除掉鸦片这一毒患。”

伍绍荣是广州商行的头子，是一个和外国人勾结，贩卖鸦片的大汉奸。林则徐到广州查禁鸦片的消息被伍绍荣知道了，他立即乘上一顶快轿，赶到广州城外外国商人居住的商馆去找头号烟犯颠地。

颠地有一句座右铭，那就是“有钱能使鬼推磨”。他在中国走私贩卖鸦片多年，和中国官吏打过许多交道，给他的总印象是中国官吏没有一个不爱钱的。所以，他对反对林则徐这次查禁鸦片，早已“胸有成竹”了。

伍绍荣进来的时候，颠地正在和几个洋鬼子打牌，根本没有听伍绍荣在说什么。直到伍绍荣说：“林则徐要把你抓起来‘正法’!”颠地才略带诧异地问：“什么叫‘正法’?”伍绍荣做个手势，说：“‘正法’就是杀头!”因一时心惊，几个洋人手上的牌“哗”的一下掉了下来。颠地却一点儿也不着急，眯着一对蓝眼睛，抿着嘴唇，不断地摇头。伍绍荣着急了，说：“林则徐说到做到，厉害得很呀！你还是赶快离开广州吧!”

颠地把牌一放，问：“他是清王朝派来的官吏吗?”伍绍荣不明其意，答道：“那还有假的?”颠地漫不经心地说：“你们中国官员，有谁不爱钱的？我根本不相信你们中国人能禁烟。”

1839年3月的一天，钦差大臣林则徐乘坐的船在广州长堤天字码头靠岸了。林则徐到广州后，化装成一般的商人，到广州的大街小巷查看各个烟馆的情况。他走进一家烟馆，只见一座大屋子里，地上横卧着一排排人在抽大烟，这些人骨瘦如柴，一个衣衫褴褛的人过来向他讨钱，林则徐丢给他一个大洋，那人捡起钱便跑进烟馆……林则徐见到这番情景，心里痛苦不堪。他想，鸦片竟把中国人害成鬼了，不禁鸦片怎么成呀?

为了了解鸦片走私的情况，他还坐着小船，查看广州各个港口，观察外国商船的动静，加强情报工作，掌握大量的第一手材料。为了防止敌人捣乱，他通知广州水师和警察，加强戒备，把所有的水路、陆路都封锁得严严实实。

正当林则徐要对英国鸦片商人及其鸦片船采取措施时，突然得到情报说，伍绍荣和颠地受英国商务监督查理·义律的指使，已化装潜逃，原先停泊在伶仃洋的22艘鸦片趸船已开出海口。

林则徐得到消息后，立即采取行动。他通知广东水师（海军）拦截所有鸦片趸船，命令所有停泊在黄埔港里的外国商船先行封舱，不准装卸货物，所有受外商雇用的中国职工一律撤退。另外调派水师巡船，把外国商馆全部封锁起来，禁止出入。发动人民群众搜捕伍绍荣和颠地。

然后，林则徐召集13家洋商行，要他们负责通知外国商人，限期把鸦片全部交出，并且书面保证今后永不夹带鸦片，“如再夹带，货物全部没收，人犯立即正法”。

通知发出后，英国商务监督查理·义律上蹿下跳，妄想破坏禁烟运动。他四处抗议，多方交涉，要求保护英国商人的利益，一再要求解除对商馆的封锁。

林则徐针锋相对，贴出布告，斥责义律阻挠禁烟。他表示：“鸦片一日不禁绝，本大臣一日不回京，一定坚持到底，决不半途中止。”

义律见林则徐态度这么坚决，也不敢再嚣张了，但仍不愿交出鸦片。林则徐又下令对外国商馆断水断粮。义律眼看这样下去，他们会饿死渴死，就说服这些鸦片贩子交出部分鸦片，想用搪塞的手段敷衍一下林则徐。

第二天，义律被带进钦差行辕的花厅，他手腕里捧着一顶大礼帽，有点儿胆怯地站在那里。

林则徐问道：“缴烟的事，贵领事筹划得怎么样啦？”

义律假装镇定，耸了耸肩，说：“敝国政府从来没有指示商人做鸦片买卖。”

林则徐从容地问：“这样说来，你是没有责任了？”并向他投去严厉的目光。

“不！为了我们两国的友谊，本领事已劝导英国商人交出鸦片。”

“缴多少？”

“1037 箱。”义律随即从衣襟插袋里拿出一张清单递上去。

林则徐接过清单，故意问坐在旁边的广东水师提督关天培说：“我们扣了他们多少条鸦片趸船？”

关天培提高嗓门，故意要让义律听清楚，说道：“22 只，每只船装 1000 多箱!”

林则徐用严厉的目光逼迫义律，说：“这就是说，1037 箱这个数目还达不到鸦片总数的二十分之一，是吗？”

义律脸色铁青，无话可答。

过了一阵，林则徐又微微一笑问道：“你们的鸦片老板颠地呢？”

义律故作镇静地说：“他大概已经离开广州回国去了。我从澳门来时，没有见过他！”

“义律先生，你又不老实了！”

义律正想编个什么词儿来搪塞一下，只听林则徐下令道：“把逃犯带上来！”

义律抬头一看，士兵押上来的两名犯人正是伍绍荣和颠地。原来这两个人想化装逃跑，但还没有出港口，就被船民发现，扣押起来了。此时，颠地身穿中国短褂袴，脸上画的油彩还没抹去呢。他狼狈地站在那里，看着义律。

这时义律好像老虎屁股挨了锥，咆哮着说：“我要抗议你们拘禁无辜的英国公民！”

林则徐一拍桌子，厉声喝道：“什么叫无辜？颠地私贩鸦片，拒不交出，还勾引汉奸，化装逃跑，这是‘无辜’吗？领事先生，对这样的罪犯，你不但不协助我们追捕，反而怂恿包庇、袒护，到底居心何在？”

义律终于低下了头，无话可说。

颠地像一条落水狗，缩在一边，一声不响。林则徐义正词严地说：“中国政府欢迎通商，但不允许你们私贩鸦片，毒害中国人民。从明天起，缴出你们的全部鸦片，一两也不能少。”

由于林则徐的周密布置和坚定不移的斗争，在广州军民的一致行动下，义律和颠地不得不答应交出全部鸦片。禁烟运动的第一个回合终于取得了胜利。

林则徐亲自从广州坐船往东南行驶一百多里，到达虎门海口验收外商缴交的鸦片。共计收缴鸦片 109187 箱又 2119 袋，约合 230 多万斤。

林则徐请示道光皇帝，决定就地销毁。于是人们在虎门的海滩上，修造了两个大池子，每个池子宽长各 15 丈，前边有涵洞通海。池子里，先用盐水泡浸，然后放石灰。鸦片放进池子后，碰到石灰和盐，就起了化学反应，不久整个池子里的鸦片化成了渣沫，从涵洞排出海去。

从 6 月 3 日开始，到 6 月 25 日为止，历时 20 多天，才把 230 多万斤的鸦片销毁完。每天都有成千上万的群众到现场观看，到处人山人海，彩旗飘扬。中国人民从来没有像今天这样扬眉吐气过。每当林则徐在群众中出现时，人们都翘起大拇指说：“好官！好官！是为国为民着想的‘林青天’！”

“虎门销烟”是中国人民反侵略斗争史上的第一次大胜利，它大长了人民的斗志，灭了敌人的威风。但是，帝国主义并不甘心失败，1840 年元月，英国派出舰队向中国发动了武装侵略。在洋枪洋炮面前，林则徐承受

了严峻的考验。他发动广东沿海全体军民，奋勇抗敌，并坐镇虎门，亲自指挥，敌人被打得落花流水，连虎门也不敢接近。英国侵略军打不下虎门，便沿海岸北上，打到天津大沽口外。清朝统治者被洋枪洋炮吓破了胆，那些原来反对禁烟的贪官污吏，便大叫大嚷，把英国的侵略归罪于林则徐的禁烟。昏庸无能的道光皇帝竟不分青红皂白，罢了林则徐的官，把他充军到新疆，而主张卖国投降的琦善之流，反而升了官，变成了爱国有罪、投降有功。但是，林则徐查禁鸦片、抵抗侵略的爱国精神是永远不会泯灭的，它已载入了中国人民反帝斗争的光辉史册。

（选自《爱国人物故事选》，作者苏长仙）

林则徐（1785 年—1850 年），清末政治家，福建侯官（今福州）人。曾任湖广总督等，后受命为钦差大臣赴广东，与总督邓廷桢协力禁止鸦片输入，查办烟贩。1840 年任两广总督，鸦片战争爆发后严密设防英军。受投降派诬害，被革职充军新疆，后起用为云贵总督等职。

虎门殉国

——爱国老将关天培的故事

老将关天培在鸦片战争中，协助林则徐奋勇抗击英国侵略军，给殖民主义强盗以狠狠的打击，成为著名的爱国将领。

1834年，英国的鸦片走私贸易越来越猖獗，威胁着我国东南沿海地区的安全。为了防备英国海盗的武装骚扰，立志“死以报国”、富有作战经验的老将关天培由江南提督调任广东水师提督，担负起广东沿海的防御重任。他一上任，就不辞辛苦地沿海岸巡视了一遍，检查了每一个军事要塞，并增修了以虎门炮台为主体的十几座炮台，添铸了40门6000斤以上的大炮。以便有一天敌人来犯时，用重炮教训那些狗胆包天的入侵者。他还在浅海放置了粗大的铁链，防止侵略我国的洋鬼子闯进来。

1839年，英国商船“萨克逊”号船长当朗为了自己的利益，同意林则徐提出的进行正常贸易、不许贩卖鸦片的条件，表示愿意同中国签订协约，进行合法的买卖。林则徐立即批准当朗到广州做生意，使得英国侵略者的头子义律又气又急。11月2日，义律命令英舰“窝拉夷”号和“海拉新”号驶进我国南海的穿鼻洋面。第二天一早，“萨克逊”号在中国水师的保护下，正向中国内河驶去，那两艘英国军舰竟蛮不讲理地加以阻拦，将大炮对准了中国军舰。率领中国水师的关天培感到来者不善，正在调查和追问时，“窝拉夷”号突然向中国军舰连连开炮，又一次明目张胆地进行武装挑衅。

关天培见敌人这样卑鄙无耻，气得白须抖动，“唰”地抽出指挥刀，下令中国军舰开炮，“回敬”敌人，并指挥广大士兵向敌人射击。老将军手挥大刀，威风凛凛，一步跨到桅杆前，向将士们高呼：“报国的时候到了，敢后退者立斩!”将士们在老将军爱国豪情的激励下，团结一致，勇猛杀敌。忽然，敌人的一颗炮弹击中桅杆，桅杆“哗啦”一声倒了下来，擦伤了老将军的手，鲜血直流。但老将军仿佛没事一样，巍然屹立在甲板上，仍然英姿勃勃地指挥作战。官兵们越战越勇，打得敌人狼狈不堪。关天培兴奋极了，他取出几个银锭放在桌案上，高声呼道：“有击中敌舰一炮者，立刻赏银两锭，今天让洋鬼子有来无回!”说罢，老将军亲自开炮轰击敌人。官兵们也争先恐后地拼命杀敌。我国军舰上威力最大的一门3000斤铜炮“轰”的一声，不偏不倚，准确击中“窝拉夷”号舰头。老将军连声叫“好”，督令水师继续向这艘敌舰的要害部位连轰数炮，炸得“窝拉夷”号上的侵略军鬼哭狼嚎，纷纷落水，一顶顶军帽在海面上漂着。接着它的后楼和左右舱等处也被击中，船帆歪了，旗子也掉下来了，最后冒着浓烟逃走了。另一艘敌舰“海拉新”号一看形势不妙，也急忙尾随“窝拉夷”号匆匆逃跑了。

1841年2月26日，不甘心失败的英国殖民主义强盗又来窜犯虎门要塞。时年已经60岁的老将关天培亲临虎门炮台指挥反击，给穷凶极恶的侵略军以迎头痛击。战斗爆发前夕，关天培把一只密封的木匣和一封信寄给远在江苏的九旬老母，木匣里放着几件旧衣服和几颗掉落的牙齿，作为老将军以身报国、与家人永别的纪念。

林则徐和邓廷桢那时已被清朝道光皇帝“罢了官”，可当他们听到这一消息后，马上一同到总督衙门敦促“当权者”火速支援。但是卖国贼琦善多方阻挠，拒绝派出援兵。

关天培不顾兵寡枪少，将15门大炮排列在要塞前，指挥自己这一支孤军奋勇作战。战斗中，关天培身负重伤，血流如注，他的眼睛都冒火了。当炮手牺牲后，他怒吼着亲自燃放火炮轰击敌人，一发发仇恨的炮弹准确地命中了目标。清军将士也同老将军并肩作战，顽强地坚守炮台。敌人的兵力比我军多好几倍，琦善又不肯发兵救援，最后寡不敌众，老将关天培屹立在炮台前沿，不顾负伤的左臂阵阵剧痛，亲手挥刀砍杀侵略者。不幸，一发罪恶的炮弹在他背后爆炸，弹片穿透了老将军的胸膛，老将军像一棵巨松似的倒了下去……他部下400多名官兵也全部壮烈牺牲，虎门炮台终于落入了敌人之手。

林则徐听到关天培牺牲的消息后，非常悲痛，曾书写了一副挽联悼念这位爱国的老英雄。挽联写道：“六载固金汤，问何人忽坏长城，孤注空教躬尽瘁；双忠同坎壈，闻异类亦钦伟节，归魂相送面如生。”歌颂了虎门殉国、赤胆忠心的老将关天培。

（选自《中国近代爱国故事》，樊竟编著）

关天培（1781年—1841年），清末爱国名将，江苏山阳（今淮安）人。1834年任广东水师提督。1839年支持林则徐的禁烟政策，多次击退英军进攻。1841年2月英勇战死。著有《筹海初集》。

“忠义事大，此志断不可夺”

——蒙古族英雄裕谦的故事

在炮火连天的鸦片战争中，有一位抗击英国侵略者的蒙古族英雄，他身为封疆大吏，却身先士卒，浴血奋战，为捍卫祖国的东南海疆，以身殉国，他就是两江总督裕谦。

裕谦出身于蒙古族的一个官宦家庭里。24岁考中进士，选为翰林院庶吉士。1826年，出任湖北荆州府知府。后升任江苏按察使、布政使。1840年被委任为江苏巡抚兼署两江总督。1839年林则徐在虎门销烟，掀起了禁烟运动的高潮，裕谦支持林则徐的禁烟壮举，主张抗击英国侵略者。1840年10月，林则徐被道光帝以“误国病民，办理不善”而革职时，他十分同情林则徐。

1841年2月，裕谦受命代替伊里布为钦差大臣时，他极力反对伊里布和琦善的投降活动。是年5月，裕谦揭发伊里布及其家人张喜于1840年10月间与英军洽谈停战协定时，私受英军的礼品，道光帝将伊里布调京审讯，伊里布被革职。

英国侵略军在三元里遭受中国人民的痛击，损失惨重，英舰于1841年6月7日被迫退出虎门。广州休战后，清廷以为万事大吉，道光帝在“夷乱已平”思想的指导下，下令各省撤兵省费。两江总督裕谦、闽浙总督颜伯焘等人认为，英军有继续北上滋扰的可能，要求调防官兵暂缓撤退。道光帝一意孤行，坚持裕谦等仍遵前旨，酌量裁撤防兵，以节约费用。其实这时英军自广东出发北犯已经两天了。

这时，璞鼎查已接替义律，被英国政府任命为特命全权公使，巴加已接替伯麦，被任命为英军总司令，兼任侵华海军司令。他们已率“威里士厘”号等10艘军舰，载炮320门；轮船“西索斯梯斯”号等4艘，载炮16门；领航测量船1艘；运输船22艘，分载陆军官兵2519人及粮食、用煤等物资，于8月21日北犯。

8月26日厦门失守，继而定海于10月1日失陷，接着英军直逼镇海。10月9日，英军进泊镇海甬江口外。

10月9日，英军计划以海军进犯北岸的招宝山；以陆战队进犯南岸的金鸡山；以“威里士厘”号等4艘军舰在招宝山正北就位，靠近中国军队阵地；以“巡洋”号等3艘军舰掩护陆战队从南岸登陆，并乘胜驶入港内；以武装轮船“皇后”号、“西索斯梯斯”号左右游击，向清军营地开炮射击，以“复仇神”号和“弗莱吉森”号运兵登陆。同时，又计划把英军分为左纵队、右纵队和中央纵队三个纵队登陆。

清军方面，裕谦已做好防御布置。他派委翼长狼山镇总兵谢朝恩、江苏候补知府黄冕，扼守金鸡山。招宝山上，本有游击张从龙等带兵驻扎，再派浙江提督余步云，亲统精兵驻于招宝山下的东岳宫。东岳宫以西，有拦口埠炮台，径对口门，与金鸡山、招宝两山，互相犄角，有衢州镇总兵李廷扬带兵驻扎。并于两岸密排火攻水勇船只，凡有可以爬越偷渡的地方，皆分驻精兵，排挖暗沟，密布蒺藜，防其水陆并进。裕谦亲自督率宁绍台道鹿泽长、镇海县知县叶堃，坚守县城。镇海当时的防兵有3600余人，加上定海失陷后的退兵，合计有4000人以上。

抵抗英军的战斗打响前，裕谦召集官兵举行了一次隆重的誓师大会，庄严表示要与镇海共存亡：

今日之事，有死靡贰……受命专讨，义在必克，文武将佐，敢有受夷一纸书去镇海一步者，明正典刑，幽遭神殛！

将士们深受鼓舞，枕戈待旦，决心迎击侵略者。但畏敌如虎的提督余步云，在誓师大会上，借口有足疾不下跪宣誓。

10月10日黎明，英舰“复仇神”号载中央纵队步、炮、工兵440名，由“巡洋”号掩护，在甬江南岸登陆；“弗莱吉森”号载左纵队步、炮、工兵及来福枪手1060余人，由小浃港登陆，并以沙蟹岭为掩护而绕到金鸡山后，两路夹攻。总兵谢朝恩在率兵救护金鸡山炮台时，不幸被英军炮火轰击落海。但将士们奋勇阻击，与敌人多次短兵相接。由于英军来势汹汹，炮火密布，金鸡山终于被侵略军所占领。上午11时许，招宝山的炮垒，被“威里士厘”号、“伯兰汉”号、“布朗底”号和“摩底士底”号的炮火轰毁。在这紧急关头，余步云不在自己的岗位上抗战，反而无耻地向裕谦建议对英军屈服。裕谦以“忠义事大，此志断不可夺”怒斥余步云。

节帅（指裕谦）上城督战，而提军（指余步云）忽来城上谒见，以保全数百万生灵为词，请遣外委陈志刚前赴夷船上，暂事羁縻。节帅告以此不过苟且旦夕，况有伤国体。提军当即下城，旋又复来，以伊一人身死，分所宜然；但家中妻子儿女三十余口，实属可怜；并云伊女即系今日出阁。节帅云：儿女情长，英雄不免；但忠义事大，此志断不可夺。

而贪生怕死的懦夫余步云，当英军在招宝山西北海塘一带登陆时，他“不令兵开炮；夷甫至山（指招宝山）麓，攀援欲登，步云遽弃炮台走。谦挥城上兵燃炮，截而止之。下者稍却，卒绕转山后，纷纷随步云溃散”，由于余步云不战先溃，英军由山后的仙人洞上山，占据山上的威远城，并由此以大炮俯轰镇海，掩护右纵队向镇海城进攻。

中午时分，英军自东城攀梯登城，城中士兵和丁民由西门退出。镇海城破时，裕谦忠于责职，遂投泮池自尽，被兵丁救出，11 日下午“逃至余姚，吞烟自尽”。裕谦不愧是一位英勇的爱国者。他死后，英国侵略者仇视他的忠烈，畏惧他的余威，曾经悬赏重金来购买裕谦的遗体。广大人民则深深怀念和敬仰这位蒙古族英雄，后来在镇海为他建立了专祠，作为纪念。

（选自《屈辱的岁月　奋斗的征程》，作者吕涛）

裕谦（1793 年—1841 年），字鲁山，嘉庆进士。1841 年受命为钦差大臣赴浙江，负责海防。同年 9 月率兵抗击英军进攻镇海，因提督余步云溃退，镇海陷落，遂投水自尽。

“竭力杀敌，以死报国”

——爱国名将葛云飞的故事

1789年葛云飞出身于一个军人家庭，从小就志向远大，既好读书，又爱习武。一天，他跟随父亲外出打猎，父亲问他：“男孩子要学会拉弓射箭，你会吗？”葛云飞没有回答，立即拉弓搭箭，六发六中。父亲惊喜异常，勉励葛云飞长大要“弃儒从将，报国效忠”。

葛云飞牢记父亲的教诲，努力学习军事。他30岁考中武举人，38岁考中武进士，先后任浙江水师守备、瑞安协副将，经过五次提升，于1838年擢任浙江舟山群岛定海镇总兵。

1840年6月，英国侵略者对中国发动了第一次鸦片战争。7月，以突然袭击的方式强占了定海。这时，葛云飞因父亲去世正在原籍服丧。他得知定海失守的消息后，立即奔赴前线，担负起御敌守土的重任，制止英军的进一步扩张。定海失陷后，清廷派投降派的首领之一伊里布为钦差大臣，代替主战的浙江巡抚乌尔恭额办理军政要务。伊里布主张对英妥协，放弃定海，葛云飞坚决反对。

1841年1月，葛云飞在安徽寿春镇总兵王锡朋、浙江处州镇总兵郑国鸿的协助下，亲自带领军队，分水陆两路挺进，强迫英军交出定海，英军见清军来势勇猛，只好提出先释放被俘军官安突德，后交城池。葛云飞义正词严地加以拒绝，一面指挥官兵严阵以待，一面警告敌军：“限汝半时，若再异议，即将贼目（安突德）阵前正法，督令水陆兵夹剿矣。”英军迫于清军的强大威慑，只得撤出了定海。定海收复后，葛云飞为防英军再犯，计划在此增建炮台等一系列防御设施，但清廷不拨经费。他又提出预借自己三年俸薪来修筑定海城防，亦遭拒绝。对此，不少人对葛云飞说：“敌人又要进攻定海了，你虽尽心尽责，但上面昏庸无道，你岂不是赤手空拳地去与敌人硬拼吗？何不一去了之。”葛云飞慨然回答道：“大丈夫以身许国，事已至此，当竭力杀敌，以死报国。”

1841 年 9 月 26 日，英军再次进犯定海，葛云飞率领清军英勇抵抗。

经过五天五夜的激战，最后他带领剩下的 200 余名勇士冲向敌阵与敌人肉搏厮杀，他在全身布满 40 多处战伤的情况下，还亲手杀死了被俘释放的英国军官安突德。葛云飞牺牲后，仍然屹立在岩石旁，手举大刀，怒目前视，表现了中华民族宁死不屈的英雄气概。

（选自《中国青年报》，作者武文）

葛云飞（1789 年—1841 年），晚清爱国将领，1838 年任浙江定海镇总兵，1841 年 10 月在抗击英国侵略军的战斗中英勇牺牲。著有《浙海险要图说》等数十卷。

“武臣卫国，死于疆场，幸也”

——清军老将陈化成的故事

“武臣卫国，死于疆场，幸也。”这是清军爱国老将陈化成1841年秋天听到两江总督裕谦在镇海殉国的消息后，哭着对部下讲的话。这些话一方面是对部下的激励，另一方面也表示了他以死报国的决心。

陈化成行伍出身，历任水师把总、参将、副将、总兵等职，1830年升任福建水师提督。1838年，清政府决定禁烟以后，陈化成就加强了福建沿海的巡逻，对在福建沿岸从事鸦片走私的英国商船严加查缉，坚决打击那些武装走私的鸦片贩子。1840年6月，英国侵略军进犯福建。60多岁的老将陈化成和闽浙总督邓廷桢一起进行抗击，率水师多次击退英舰的进攻。不久，陈化成调任江南提督。他在两江总督裕谦的支持下，积极在吴淞设防。由于清政府统治腐败，军备松弛，吴淞口的炮台被大水冲毁了好几年，一直没有修复。陈化成到任后干的第一件事就是下令修建炮台，添设炮位，新铸造了60门8000斤大炮，他又根据吴淞口的地形，沿塘筑起土堡，挖掘壕沟。他还从福建水师挑选一批精兵，来充实吴淞口地区的军事力量，并带动当地的练兵活动。这样一来，吴淞口的防御能力有了明显的加强。

陈化成处处以身作则，与士卒同甘共苦。近代史书记载说：“公枕戈海上二年，自备薪水，肩舆出入不用仪从。”1840年秋天，裕谦刚担任两江总督的时候，听部下谈起陈化成处处以身作则、爱护士卒的事迹，还不大相信。一天夜里，忽然狂风大作，暴雨倾盆。潮水溢上塘面，眼看就要涌进陈化成的军帐。部下请他赶快移帐，但他说：“大帐一移，三军惊扰，且我就高燥，而士卒湫溢，于心何安？”坚决不移帐。当时裕谦就驻在离吴淞10余里的宝山，估计陈化成早就把军帐移至高处了，派人前往探望。这时，陈化成正端坐在原来的军帐中凝神处理军务，听到来人的马蹄声才出来看看情况。使者把见到的情况向裕谦报告之后，裕谦对陈化成的为人十分钦佩。裕谦在移驻上海之后，听到陈化成患了痢疾，就派人给他治病，陈化成谢绝了，说：“栉风沐雨，军营常事，我以老惫偶疾，何独张皇？”继裕谦之后担任两江总督的牛鉴，听说陈化成吃的是糙米饭，生活特别简朴，以为他身边缺钱，于是就派人每隔10天送去250两白银，陈化成坚决不肯接受。陈化成生日这天，有人送给他金字旗为他祝寿，被他当场下令撕裂了。陈化成对自己要求十分严格，但对部下士卒却十分关心和爱护。一次，夜里下起了大雪，他在军帐里一夜没睡，担心士卒是否受冻。第二天一清早，他就赶到各地看望，给衣服少的士卒送去了棉衣。他非常得军心，手下的士卒特别愿意为他效力。陈化成手下的士卒和吴淞一带的百姓，都十分尊敬而又亲切地称他为“陈老佛”。

对于英国侵略者，陈化成一直是十分警惕的。英国侵略军于1841年9月第二次侵占定海之后，又于10月侵占了镇海和宁波。1842年3月，道光帝的侄子奕经率军在浙江反攻，但也吃了败仗，不但没有收复失地，而且又丢了慈溪。5月初，英国侵略军攻陷浙江海防重镇乍浦，接着就直奔长江口吴淞。他们计划沿着长江西进，攻占南京。长江下游是中国最富庶的地方，南京是中国的江南重镇，控制着长江和运河两大水道。江南的大量漕米和税银都要先运到南京，然后再由镇江顺运河北运。如果攻占南京，就等于卡住了清政府的咽喉，这样就可以迫使清政府投降。

吴淞位于长江口，是长江的门户。在吴淞镇和宝山之间的江岸上，有许多土筑的炮台，即西炮台，共有154门大炮（另说134门），在吴淞镇南的蕴藻浜入黄浦江的入口处北岸，有一座石筑的半环形炮台，共有10门大炮。在镇对岸的浦东有一座砖筑的圆形炮台，共有27门大炮（另说21门）。在水师方面，清军新造了一种明轮船，每艘船上除备有抬枪、火绳枪、长矛、大刀之外，还有2至3门刚刚铸成的铜质大炮，这种船每小时行驶6.5千米，比当时中国一般的水师船只要快。可见陈化成在吴淞口的防务部署是十分周密的。连侵略者也不得不承认："他们所铸制大炮的形式以及所建造的兵船，都有若干改进，这一切皆足以证明，中国对于吴淞这个要塞的防卫，是曾认真准备的。"英国侵略军在进攻之前，陈化成驻守吴淞口，牛鉴驻守宝山。6月5月，英国舰船27艘已经到达吴淞口外。但是侵略者惮于陈化成的军威，没敢立即发动进攻。为了试探陈化成军队的火力，英军派出4艘军舰，舰舷上立着伪装的木头人，闯向西炮台。陈化成海战经验非常丰富，一下子就看破了敌人的用意，所以一炮未发，使敌人一无所获。可是这时，牛鉴却已经吓得惊慌失措，以"贼锋难犯"为理由，准备投降了。他对陈化成说："英人船坚炮利，触犯不得，不如开门迎接，以后慢慢设法对付。"而陈化成坚决反对投降，他安慰牛鉴说："无恐……某（我）经历海军五十年，此身在炮弹中入死出生者数数矣。今日火攻颇有把握，愿以身当之。苟得挫其锋，援兵一鼓而进，不足平也。"

6月16日清晨，7艘英舰向吴淞口发动进攻。陈化成手执令旗，站在最高处，冒着敌人密集的炮火，指挥守军发炮还击。激烈的炮战进行了两个多小时。英军"华丽"号的后樯被击中3炮，"布朗底"号被击中14

炮，“西索斯梯斯”号被击中11炮，英军官兵死伤300多人。牛鉴听说陈化成打了胜仗，为了抢功，赶紧从宝山来到西炮台督战。这个腐朽愚蠢的大官僚还要摆总督的排场，坐着轿子，让人鸣锣开道。英国侵略者发现后，就朝着轿子开炮。炮弹落在轿子的左边，吓得牛鉴魂不附体，丢弃纱帽朝靴，滚下轿来混入士兵之中没命地逃跑。为了掩护自己逃跑，他还让一个士兵穿上他的衣服，坐在轿子上来代替他。总督一逃跑，“所督诸军皆尾而溃走”，东炮台守将也丢弃炮台逃走了。于是敌人集中兵力围攻西炮台。他们开始从西炮台的正面和侧面登陆。这时，只剩下陈化成及其部将韦印福等人还在与敌人进行激战。在危急时刻，部将请求陈化成撤离炮台，陈化成对部下说：“奉命剿贼，有进无退，予欲以死报国。”说罢，他拔出佩刀率领士卒与敌人展开肉搏。他身受7处重伤，仍然英勇奋战，最后与韦印福、钱金玉等80多人一起壮烈牺牲。英国侵略军乘势占领了宝山和上海，接着就把侵略矛头指向了镇江和南京。

（选自《屈辱的岁月　奋斗的征程》，作者陈隆涛）

陈化成（1776年—1842年），清末福建同安人，1840年任江南提督。1842年6月英舰进犯吴淞口时，英勇抵抗，最后率孤军奋战，与所属官兵英勇战死。

叱咤风云　名满天下

——“天王”洪秀全的故事

鸦片战争后的中国，到处弥漫着无边无际的愁云惨雾。亿万人民艰难地踯躅、挣扎在外国资本主义和国内封建势力的奴役下，过着朝不保夕的非人生活。四面八方传来了“民之财尽矣，民之苦极矣”的痛苦呻吟。

物极必反是历史的辩证法。1851 年，洪秀全等人领导的太平天国运动猝然爆发。它以磅礴的气势，纵横 18 省，持续 14 年，沉重打击了国内外反动派。19 世纪中叶，民族危机、阶级矛盾、剧烈激荡的时势，锻铸出了洪秀全这位叱咤风云、名满天下的人物。

洪秀全于 1814 年 1 月 1 日出生在广东省花县福源水村。在 1828 年至 1838 年期间，洪秀全先后三次去广州参加科举考试，由于出身低微，始终没有考取秀才。1843 年春天，他再次去广州应试，结果又名落孙山。

在驶回花县的船上，洪秀全凝视着波光粼粼的一泓春水，千思万绪，萦绕心头。当时，正是鸦片战争结束后不久，祖国处于风雨飘摇之中。在广州、花县之间，沿途跃入眼帘的尽是凋敝、荒芜、赤贫和泪水。他决心抛弃“学而优则仕”的精神枷锁，挥笔写下一首气壮山河的诗篇：“龙潜海角恐惊天，暂且偷闲跃在渊；等待风云齐聚会，飞腾六合定乾坤。”洪秀全怀着对国事的担忧、对科举的愤懑，回到了家乡。

天苍苍，路漫漫，有志之士怎样奔向前方？洪秀全想起早年从广州传教士那里得到的《劝世良言》。这是一部长达 9 万字的基督教布道书，内容荒诞，尽是欺人之谈。但是，洪秀全却从中受到了某种启发。他决定附会《劝世良言》，以宗教为掩护，创建一个组织。1843 年 5 月的一天夜晚，洪秀全、洪仁玕、冯云山等人聚在一起，肃穆地宣布成立“拜上帝会”。

1847 年洪秀全奔赴广西紫荆山，和冯云山一起在那里建立了“拜上帝会”的总机关，还定下各种仪式和纪律。他们在这块根据地百折不挠地坚持开展广泛的宣传和组织活动。“拜上帝会”的威望一天天地上升，寂静的山区蒸腾着战斗的激情，扎实的工作结出了丰硕的成果。经过几年惨淡经营，起义形势逐渐成熟。

1851 年 1 月 11 日，雄踞紫荆山南麓的广西桂平县金田村里，战旗猎猎，钢枪闪闪，人群熙攘，欢声鼎沸。在群众们的热烈拥戴下，洪秀全被推为首领。他身穿长袍，手按利剑，庄严宣告武装起义，定国号为太平天国，起义军称太平军，还颁布了简明的军纪。轰动中外的“金田起义”，像春雷一般震响在南国的山村乡野。

这年 9 月，洪秀全率领太平军在连续挫败官兵们的多次围攻后，从紫荆山根据地杀奔出来，一举攻占永安，就地休整半年余。清朝统治者不甘心失败，数万清军将永安城团团包围。面对敌我力量悬殊的严峻态势，洪秀全决定弃城突围。1852 年 4 月 5 日，太平军巧借这个细雨蒙蒙的夜晚，突出重围，经过一场恶战，歼灭清军 5000 多人。洪秀全领导义军，乘胜北进，破全州，克道州，长驱直入。他们以秋风扫落叶之势，席卷湖南、湖北许多县城，杀得清军丢盔弃甲，尸横遍野。太平军于 1853 年 1 月胜利攻克武昌。此刻，这支农民武装已经发展成为一支拥有 50 万兵马的大军。

队伍在武昌稍事休整后，洪秀全又统领兵马，水陆并进，沿江东下，连克九江、安庆，并于1853年3月，神速夺占了江南重镇——南京。洪秀全统帅太平军，以短短两年多的时间，从金田直下南京，突出地表现了他的谋略、胆识和领导天才。

进驻南京后，洪秀全宣布将南京改称天京，定为首都，正式建立了与清王朝对峙的农民政权。1853年5月，洪秀全命令太平军主动出击，分兵北伐和西征。北伐军由于孤军深入，苦战两年，陷于失败。西征军经过三年征战，控制了安徽、江西和湖北东部的大部分地区。与此同时，在天京外围所组织的一场激烈的“天京破围战”也取得重大胜利。这时，太平天国的版图约有23个府州，形成了它在军事上的全盛时期。

为了实现“有田同耕，有饭同食，有衣同穿，有钱同使，无处不均匀，无人不饱暖”的农民革命理想，在1853年下半年，洪秀全领导制定和颁布了著名的《天朝田亩制度》。

群众们欢快地引吭高歌：“太阳出来三丈三，跟随天王打江山。打平江山享天福，享了天福永无穷!”

傲然屹立在长江之滨的太平天国政权，始终被清政府和外国资本主义视为眼中钉、肉中刺，欲除之而后快。

1861年，英国传教士慕维廉抵达天京，希望到天京及其周围乡间去宣讲福音。当时负责外交事务的洪仁玕，根据洪秀全的主张，义正词严地回答说：“天王认为中国人有自己的骄傲，不愿意从外国人的手上接受福音。”这年12月，英国海军司令何伯命令“狐狸”号舰长宾汉，照会太平天国，蛮横要求赔偿英国人所遭受的损失；不准太平军进入上海、吴淞周围百里地带等等，侵略气焰十分嚣张。1862年1月，洪秀全大义凛然，以幼赞、王蒙、时雍等三人的名义，复照英国侵略者，理直气壮地对来照进

洪

行了逐条驳斥，明确指出：无凭无据而索要赔偿，实属无理；太平军肩负的重责是光复全国，不能弃寸土于不顾，英国如此荒谬的要求，焉能照准？外国侵略者还曾到天京面见洪秀全，厚颜无耻地提出，他们愿意帮助推翻清朝，但要以平分中国土地为条件。洪秀全当即断然拒绝，说："我起义兵，欲救中国，事成平分，天下失笑，不成之后，引鬼入邦。"外国侵略者进而恫吓道："尔天王兵而虽众，不及洋兵万人。""尔不与合，尔天朝不久，待为我另行举动。"洪秀全毫不畏惧，立即让这些侵略分子退出"天王府"，并且表示"哪能再把西洋人引进来骑在中国人民头上作威作福!"洪秀全光明磊落，坚定地维护了不可侵犯的民族尊严。

外国侵略者践踏中国主权的险恶阴谋接连被挫败，他们恼羞成怒，更显出了凶狠残暴的原形。他们和清政府进一步勾结在一起，封建统治者无耻宣称：目下情势，舍借助洋兵，亦实别无良策。英国侵略者则加紧用轮船输送清军到上海，以便协同进攻太平军。1862 年，清政府和侵略者明显强化了对太平天国的联合镇压，乌云压城，气势汹汹。当年 5 月，天京被围。洪秀全运筹帷幄，沉着果断地指挥军民捍卫天京，同时命令江浙部队发起进攻。在洪秀全的统帅下，太平军将士们同仇敌忾，奋勇抗击，重创了清军和外国侵略者。英国海军司令何伯身负重伤，法国侵华海军司令卜罗德中弹毙命，美国所谓"常胜军"的头目华尔被当场击毙。太仓之战，太平军在硝烟迷漫、炮火横飞中，呼啸冲锋，破清营 30 余座，全歼清军 5000 多人，得其大炮、洋枪不计其数。

经过两年多的浴血苦战，太平军取得了一些胜利。然而，在清政府和外国侵略者的联合进攻之下，众寡难敌，加之内部意见分歧，太平军一直没有完全摆脱被动局面。1863 年，江浙战场失利，天京处境险恶，斗争形势日趋危急。洪秀全慨然表示：不怕一切，决心坚持到底。1864 年，围困天京的清军达5万人，天京城里粮荒严重。洪秀全下令“合城俱食甜露(野草)”，自己更同军民患难与共，带头吃食草团。为了加强防卫，他还严诏：如有通敌叛变者，抄斩全家。在这千钧一发、生死存亡的紧要关头，洪秀全临危不乱，率领太平天国军民，顽强地坚守着天京这座天朝的堡垒。4月间，清军曾两次倾巢而出，疯狂攻城。洪秀全率领全城军民拼死搏斗，粉碎了清军的进攻。国事操劳，心力交瘁，洪秀全不幸身染重病。5月底，他支撑起孱弱的病躯，刚毅地号召“大众安心，……保固天京”。第二天，即1864年6月1日，这位为了拯救祖国而光荣战斗了一生的精英，遥望着滔滔不尽的长江，谛听着石头城上传来的阵阵枪声，安详而又永远地合上了他那明亮深邃的双眸……

（选自《振兴中华的先驱》）

洪秀全（1814年—1864年），太平天国革命领袖，广东花县人。1851年举行金田起义，建号太平天国，称“天王”，后定都南京，称天京。与英、法、美、俄侵略军和清军顽强斗争，终因兵力悬殊，天京被围，困守孤城。天京沦陷前夕病逝。

小刀会大战侵略军

——小刀会首领刘丽川的故事

1854年12月14日上午，法国侵略者派人通知小刀会的领导人刘丽川，宣称法军对小刀会已进入战争状态。英国侵略者也威胁上海市民说："如果不听从大英帝国的话，将自负危险之责。"面对英法侵略强盗赤裸裸的战争讹诈，刘丽川神态自若，毫不畏惧。他推开窗户，仰望着湛蓝的天空，不禁心潮起伏，几年来风风雨雨的战斗经历一下子都展现在脑海里，他把腰间挂着的宝刀取下来，掸了掸上面的灰尘，紧握着宝刀，默默地想着……

1849年，刘丽川和周立春领导了一次反帝反封建的武装起义，建立了小刀会。以后，小刀会以"义兴公司"的名义发展武装力量，积极打击敌人。1853年8月，徐耀领导嘉定1000多农民起义，占领了县城。9月，刘丽川率领上海小刀会起义响应，占领上海县城，杀死上海知县袁祖德，活捉了清朝的苏松太道吴健彰，建立起农民政权"大明国"，刘丽川担任大元帅，宣布接受太平天国的领导，并写信给洪秀全，与太平军联络共同斗争。小刀会纪律严明，在上海全城遍贴布告，痛斥卖国的清政府和外国侵略者的罪行。小刀会再接再厉，攻取了上海附近的南汇、川沙、宝山、青浦，并着手向苏州进军。清政府勾结外国侵略者反扑，攻陷了嘉定，小刀会的杰出将领周立春被捕牺牲。小刀会只好集中兵力固守上海县城。

有个名叫斯嘉兹的英国间谍，被英国侵略军头子派到上海城里来进行政治阴谋活动，企图说服刘丽川向外国侵略者投降。小刀会战士问清了他的来意，把他从城墙下吊上来，立刻把他带到大元帅府。斯嘉兹看见刘丽川出来了，急忙走到刘丽川身旁，劝说刘丽川马上向外国人投降，把上海县城交给英、法、美三国，否则三国将不客气了，要用洋枪洋炮攻打县城。刘丽川炯炯有神的目光扫视了一下这个家伙，然后铿锵有力地对他说：“我们中国人不是好欺负的，祖国的领土我们一寸也不会让给外国人的。你们如果一定要把战争强加在我们头上，那么我们也不客气了，会给来犯者以应得的惩罚！”斯嘉兹目瞪口呆，半天说不出一句话来，只得悻悻地离开大元帅府，去回复英国侵略军的头子。

法国侵略者又给刘丽川发来照会说：“法国的意思是要小刀会自动退出上海县城，否则法国海军要用武力解决问题。”刘丽川怒不可遏地说：“法国实在无耻之极！这是在中国的领土上，法国有什么权利指手画脚？本元帅正告法军方面，如果一定要进攻本军，那么我们为了自卫起见，一定全力抵抗，决不后退半步!”法国侵略军觉得单凭千名法军不是小刀会的对手，于是便决定和清军进行合作来共同镇压小刀会起义军。

1855 年 1 月 6 日黎明，寒风凛冽。停泊在黄浦江上的法国军舰向小刀会突然猛袭，密集的炮弹轰塌了北门城墙的一处，在排炮的掩护下，240 名法国侵略者强行登岸，从缺口处扑进城来。飞虎将军潘启亮率领 200 名小刀会战士冲了过来，和敌人短兵相接，当场就击毙了 2 名法国军官和 3 名士兵。法国侵略者用毛瑟枪凶猛地射击。小刀会战士英勇顽强地坚守阵地，用土枪、大刀、长矛和敌人搏斗，不少法国侵略者被小刀会战士打死打伤。法军的大炮运不进城里，优势逐渐转到小刀会方面。狡猾的敌人一看不妙，马上打开了北门，招呼大队清军进城，然后法军全部撤到城外。清军的那些草包官兵，早被小刀会战士们的喊杀声吓得魂不附体，胆战心惊地沿着城墙和街巷分散开，根本不敢和小刀会战士接触，可他们遇到老百姓时，却凶狠地大杀大砍，有的甚至专砍一些倒在街道上尸体的首级，拿去报功请赏。小刀会战士越战越勇，经过几个小时的冲杀，把敌人全部驱逐到了北门城边。清军人多，许多人来不及从城门逃跑，便慌慌张张爬上城墙，有的从城墙上滚下来，头破血流，断腿折臂，到处是清军的哀嚎之声。站在城外的法国侵略者见清军溃逃出城，便开枪制止，企图让清军重新冲进城去。清军官兵为了活命，便跟法国侵略军火拼起来。法军抵挡不住，也撒腿狂逃，洋枪洋炮扔了一地。

这次大战，小刀会打死打伤了近百名法国侵略者，清军伤亡了2000多人。战斗胜利结束后，小刀会迅速把城墙的缺口补好，刘丽川废寝忘食，日夜在城墙上巡察，鼓励战士们不屈不挠，坚持斗争，挫败敌人的阴谋。时间一天天过去了，敌人包围了上海县城，孤城固守，毫无外援，与城外的一切联络都被洋鬼子和清军切断。在敌人的严密封锁下，城里的情况日益恶化，弹药一天比一天少，粮食也快吃完了，每顿饭只有一点儿粥汤，上海县城的人民多以草根、树皮或剪割鞋底的牛皮来充饥。

1855年2月17日，这天正是阴历的大年初一，小刀会起义军占领上海县城已整整18个月了。刘丽川全面分析了形势，一座孤城已不能再固守了，为了保存有生力量，继续和清政府及外国侵略者斗争，不得不考虑突围的问题。他登上城头，俯瞰清军及侵略者的营盘，只见他们正在大吃大喝，猜拳行令，戒备比较松弛，便命令全军将士迅速准备突围。等到天一擦黑，小刀会大开四门，大家齐心协力地朝城外冲杀出去。清军及侵略者发现小刀会已经突围出城了，马上从南门扑进城里，在手无寸铁的老百姓面前大逞凶狂，到处纵火焚烧，全上海一片火海，半个城被烧成了灰烬。

当小刀会冲杀到虹桥时，被几千人包围了。刘丽川率领将士们浴血奋战，他的宝刀都卷了刃。可包围圈却越来越密，刘丽川果断地命令飞虎将军潘启亮率领大队再次突围，刘丽川和几十个清军及侵略者血战到底，最后壮烈牺牲。

小刀会起义，是上海人民一次英勇地抗击外国侵略者及清朝统治者的斗争。他们在刘丽川的领导下坚持斗争了 18 个月，沉重地打击了侵略者和封建统治阶级，用鲜血谱写了一篇爱国主义的雄壮乐章，充分体现了中华民族决不屈服于侵略势力的民族气节，这种爱国主义精神是万古长青的!

（选自《中国近代爱国故事》，樊竟编著）

刘丽川（1820 年—1855 年），清末上海小刀会首领，广东香山（今中山）人，农民出身，曾行医。1853 年组织上海小刀会起义，后占领上海，建立政权，上书天王愿受领导，未果。1855 年 2 月 17 日突围时牺牲。

舍命撞敌舰

——民族英雄邓世昌的故事

清朝末年，日本帝国主义发动了侵略我国的“甲午战争”。黄海海战是这次战争中中国和日本海军的一次主力决战。在这次战役中，涌现出了一位英勇作战、与敌人同归于尽的民族英雄，他就是邓世昌。

18 岁那年，邓世昌抱着一腔爱国热情考入了福州船政学堂（海军学校)。他发愤学习，成绩优异。毕业后，在北洋水师的舰队里服役，很快便成了“管带”（舰长)。一次，他奉命去接收在英国订购的一些新舰回国。他看着这一艘艘崭新的铁甲军舰，满心欢喜，暗想着：爱国将士掌握了这些新武器，将来一定能同帝国主义侵略者一决雌雄，洗雪数十年来中国人的奇耻大辱。在归航途中，他一路上指挥着舰队进行战斗演习，并且亲自发炮，狠击假想中的敌舰目标。

1894 年，日本帝国主义悍然发动了侵略朝鲜和我国的甲午战争。侵略者用陆军进攻朝鲜的同时，海军舰队不断在我国领海游弋挑衅。邓世昌热血澎湃，心想自己报国的时候到了。他多次要求出海反击敌人，但是那时舰队的指挥权掌握在主和派大臣李鸿章手上，每次的答复都是“驻防待命，不准妄动”。要求补充弹药，也毫无结果。看着敌人在自家门前耀武扬威，邓世昌愤怒极了、难过极了。

好不容易，邓世昌杀敌报国的机会终于盼来了，那就是中日黄海海战。

1894年9月17日，增援朝鲜的中国陆军乘坐一批商船开赴鸭绿江口，北洋舰队主力舰10艘、附属舰8艘随行护航，邓世昌任舰长的“致远”号军舰也参加了这次行动。在完成任务后的返航途中，在黄海海面遭遇日本联合舰队，于是，一场激战一触即发。但不知何故，提督丁汝昌命北洋舰队10艘主力舰摆了一个雁行阵（横队）迎敌。邓世昌一看这根本不是应敌的有利阵形，急忙发出信号要求改换队形，但是没有回应。敌舰已经冲到近前，情况紧急，邓世昌为了顾全大局，命令“致远”号全速前进，带头冲杀过去。一时间，海面上硝烟弥漫、炮弹横飞、水柱冲天，一场世界近代史上首次铁甲舰之间的激烈海战打响了。

中国海军将士是勇敢善战的，但是海战刚一打响，旗舰“定远”号瞭望台便被日舰击中，丁汝昌身受重伤，而由刘步蟾代为指挥。因刘步蟾指挥不利，舰队陷入混乱。开战不久，“超勇”号中弹沉没，“扬威”号中弹受伤，丧失了战斗力。“济远”号舰长方伯谦慌乱中把受伤的“扬威”舰撞沉。邓世昌眼看着战友们纷纷牺牲，无限激愤。他满腔仇恨指挥“致远”号冲向敌人的旗舰“松岛”号，猛然发炮，“松岛”号立即中弹起火，全体官兵雀跃欢呼。“致远”号左冲右突，先后击伤敌舰多艘。敌人终于发现这才是最难对付的对手，于是集中火力围攻“致远”号。经过一番激战，“致远”号终因中弹太多，左侧轮机被毁，舰身向一边倾斜。这时，敌舰“吉野”号洋洋得意地向“致远”号猛扑过来。邓世昌命令发炮还击，可炮手前来报告炮弹已经打光。邓世昌长叹一声，深恨投降派误国害民！“吉野”号似乎已看出了“致远”号的处境，发出了迫令投降的信号。

邓世昌冷笑一声：“狗强盗，等着瞧罢！”他转身向全舰官兵们大声疾呼：“兄弟们，舍身报国的时刻到了！‘吉野’号是敌人最凶恶的王牌舰，我们要拼掉它。我命令：开足马力，撞沉‘吉野’。”

“冲过去，撞沉‘吉野’!”200多名官兵同声高呼。

霎时间，轮机轰鸣，汽笛长啸，200多名官兵高呼着响彻云霄的口号，“致远”号承载着满满的、悲壮的爱国主义情怀，向敌舰迎头撞去。原来气势汹汹的“吉野”号，一看这副架势，泄气了，胆怯了，掉转船头就想开溜。“致远”号紧追不放。敌人急了，连忙发射鱼雷。邓世昌指挥着“致远”号机智地规避着。一枚，避开了；两枚，避开了；但是，接连而来的第三枚，已躲避不及，“致远”号中雷沉没了，200多名海军爱国将士壮烈牺牲。邓世昌在没入海中的一刹那，仍然高喊着杀敌的口号，展现了中国人民宁死不屈的英雄气概。

(选自《爱国人物故事选》，作者谭绍鹏)

邓世昌（1849年—1894年），清末海军将领，广东番禺（今广州）人。福州船政学堂第一届毕业生，曾任南洋水师舰只管带，后由李鸿章调入北洋舰队。1894年黄海战役中他英勇善战，在弹尽、舰伤之际，率全舰官兵与敌舰相撞，壮烈牺牲。

引得春风度玉关

——清朝名将左宗棠的故事

幅员辽阔、美丽富饶的新疆，自古以来就是中国的领土。汉武帝派张骞两次出使西域，沟通了中原与西域的联系。公元前 60 年，汉宣帝命郑吉为西域都护，设都护府于乌垒（今新疆轮台），从此西域正式归属于中央政权。2000 多年来，各族人民和众多的仁人志士为了维护新疆与内地的统一，进行了不屈不挠的斗争。

大将筹边尚未还，湖湘子弟满天山，
新栽杨柳三千里，引得春风度玉关。

上面这首动人的诗歌写于 19 世纪 70 年代，它热情讴歌的英雄，就是在收复新疆的斗争中功绩卓绝的清朝名将左宗棠。

新疆的危局

1864 年，在中亚浩罕汉国统治者的支持下阿古柏率军入侵新疆，侵占喀什噶尔，先后攻陷英沙吉尔、库车、阿克苏等地，占领了南疆，其侵略势力东至鄯善以东的七格台。1865 年，阿古柏悍然宣布成立“哲德沙尔”伪政权，自称“洪福之王”。1870 年，阿古柏侵入北疆，占领乌鲁木齐，其势力向西扩张到玛纳斯。至此，南疆全部和北疆的部分地区都被阿古柏所侵占。

那个时期，英国和俄国竭力在亚洲发展势力，侵略中国西北。两国都竭力扶植阿古柏。英国已占领了印度和克什米尔，把阿富汗变成了自己的附庸，它想通过控制阿古柏，蚕食中国的南疆地区，以建立起一道阻隔沙俄南下的屏障。俄国已占领了中亚三个汗国，欲将势力扩展到阿富汗及印度边境。它也想通过控制阿古柏，加快侵占我国新疆的步伐，加强与英国相对抗的力量。阿古柏则想利用这两个大国争夺中国西北的机会，实现其分裂中国国土建立一个独立国家的妄想。三个侵略者同时对我国新疆地区进行了疯狂的侵略，使天山南北的大好河山陷入了严重的危机之中。

“引边荒艰巨为己任”

正当新疆出现危机的时候，1874 年日本又出兵侵略我国台湾。严重的局势迫使清政府必须拿出相应的对策。这样，在清政府内部产生了“塞防”和“海防”的激烈争论。直隶总督兼北洋大臣李鸿章，力主放弃新疆，他向慈禧太后奏称：

新疆各城自乾隆年间始归版图，无论开辟之难，即无事时岁需兵费尚三百余万，徒收数千里之旷地，而增千百年之漏卮（zhī，古代盛酒的器皿），以为不值……况新疆不复，于肢体之元气无伤，海疆不防，则腹心之大患愈棘。

在李鸿章看来，国土并不重要，似乎新疆只是个应该及早卸掉的包袱。他要集中全国的财力经营“海防”，以巩固他自己的北洋地盘。

陕甘总督左宗棠则力主收复新疆，认为“若此时即拟停兵节饷，自撤藩篱，则我退寸，而寇进尺”“宜以全力注重西征，俄人不能逞志于西北，各国必不致构衅于东南”。为了表明他的心迹，他在一个奏折中说：

（自己）年已六十有五，正苦日暮途长，乃不自忖量，妄引边荒艰巨为己任，虽至愚极陋，亦不出此……若此时即便置之不理不问，似后患环生，不免日蹙百里之虑。区区愚忱，窃有不效不尽者。

其爱国热情，溢于言表。左宗棠完全清楚自己的处境：征途万里，天山戈壁阻于前。明枪暗箭，国贼权奸遏于朝。但他不计个人得失，不顾年高体衰，毅然承担消灭顽寇、收复国土的重任。1875 年 5 月，清政府终于任命左宗棠为钦差大臣督办新疆军务。左宗棠争取到了用兵新疆的权利，新疆的收复有希望了。

左宗棠能在祖国新疆处于危难的时刻，甘愿“引边荒艰巨为己任”不是偶然的。他在年轻的时候就关心国家的疆土。十八九岁时已读完爱国思想家顾炎武的《天下郡国利病书》、顾祖禹的《读史方舆纪要》等历史著作。不久，他在夫人的协助下，绘制了一套历代疆域图，摘抄了各省通志和西域通志，分山川、关塞、驿道、地池等类，编成几十大本。由于沙俄不断蚕食我国边疆，他在研究祖国的历史地理中，对西部边疆的安危给予了特别的关注，在他 21 岁时写的名为《燕台杂感》的忧国诗篇中，留下了“置省尚烦他日策，兴屯宁费度支钱”这样的诗句，提出将来一定要在新疆“置省”“兴屯”的卓有远见的爱国主张。时过 40 余年，新疆发生了危机，年过花甲的左宗棠，爱国之志愈坚，被任命为钦差大臣督办新疆军务。他的爱国宿愿和维护祖国领土的谋略，终于变成了现实。

西征的周密准备

进兵新疆已成定局，但有许多问题亟待解决，而这些问题都是十分棘手的。左宗棠首先要解决的就是要组建一支步调统一、精明强干、纪律严明的西征军。左宗棠顾不得得罪满族达官显贵“吃亏”与否，将包括乌鲁木齐提督成禄在内的一批不听节制或腐朽昏庸的满族大员，坚决加以革职。对老弱疲惫和不愿出关的官兵，一律补还欠饷，给足路费，资遣回籍。严令所部官兵，不得到处需索、骚扰百姓，违者严惩不贷。经过一番大刀阔斧的整顿，组成了一支庞大威武的西征军。前面所引诗里讲到的“湖湘子弟满天山”，描绘的就是这样一支以左宗棠的湘军为主的，由汉、满、回等多民族组成的部队，在新疆进行卫国战争的伟大画面。

左宗棠还必须解决筹措西征饷银、万里转输粮秣的问题。西征军一年共需军费800万两。当时，清政府的国库已经空虚，西征军的经费主要依靠各省协饷，而海防经费也多来自各省协饷。由于李鸿章时时处处与西征军争饷，这就使得左宗棠不得不挺起腰杆，与李鸿章做斗争，这样才能为西征军创造一定的物质条件。筹饷难，筹粮、筹运更难。西北地区，特别是新疆的后方甘肃，连年战乱，人口锐减，生产破坏，从肃州（今酒泉）至哈密，人烟稀少，千里迢迢，戈壁纵横。所以，左宗棠又精心筹划从甘肃、宁夏、内蒙古等地区大量采购粮食，驼运车载，转运积储于哈密、巴里坤、古城等地。

收复新疆　功在百世

1876年4月27日，左宗棠发出了进军新疆的西征命令。他根据新疆幅员辽阔、需长途行军和后勤困难的情况，以及新疆北路可制南路，南不能制北，而北路的乌鲁木齐又扼“总要”的地理形势，确定“缓进速成”“先北后南”的西征战略方针。经过四个月的“缓进”准备，左宗棠从8月10日起出击，先克黄田，再克古牧地，一举光复了乌鲁木齐。接着向西乘胜追击，光复了玛纳斯城。至此，盘踞北疆的阿古柏匪帮被彻底肃清，除伊犁地区为沙俄侵略军侵占外，北疆全部光复。

1877年，西征大军即将进南疆作战。如何对待南疆各族人民，不仅关系到在南疆的军事行动能否顺利进行，而且关系到今后西北边疆的“长治久安”。在这个问题上，左宗棠高瞻远瞩，超越流辈。他一再教育前线统兵大将刘锦棠等说，新疆的维吾尔、回、哈萨克、蒙古等族人民是爱国的，他们“盖经外国征敛之苦，愈知复载之恩也”。此次进兵南疆，应剿对象是阿古柏匪帮，至于被裹胁之众，“均应宽贷，亦天理人情所宜”。各部官兵如能将各族人民当作仁义之民看待，“申明纪律”，严禁杀掠奸淫，则南疆各族人民，“如去虎口而投慈母之怀，不但此时易以成功，则后以长治久安亦基于此”。后来，南疆各城人民起而迎接西征军的到来，正是此正确政策产生的巨大效果。

1877年4月14日，左宗棠派清军大将刘锦棠率领步、骑、炮兵20余营，从乌鲁木齐南下攻打阿古柏的重镇达坂。17日凌晨，刘锦棠各营出其不意地包围了达坂。19日到20日，清军炮营用大炮猛轰城垛及城中敌军，击中城中火药库。步、骑各营从缺口冲进城内，打死敌军数千名，生俘1000余名，缴获了大批战马和枪炮军械，打了一个极为漂亮的歼灭战。接着，清军乘胜追击，于25日收复吐鲁番，迫使敌军1万多人投降。前后战斗仅用了12天。这时，蛰伏于库尔勒的阿古柏已深感日暮途穷，随时都感到西征军可能从天而降，突然冲杀到他的面前。与其束手就擒，不如自找门路，于是日夜“忧泣”，终于在5月22日服毒自毙，结束了罪恶的一生。他的余党有的投奔沙俄，有的向清军投降。至1878年元月，清军终于光复了整个南疆。

左宗棠的西征，消灭了阿古柏的伪政权，粉碎了英国、俄国侵略中国西北并将这一地区从中国分割出去的阴谋。左宗棠和他的西征军为收复新疆、维护祖国统一和领土完整所立下的卓越功勋，就像那苍茫云海中的天山，巍峨矗立，永世长存。

（选自《屈辱的岁月　奋斗的征程》，作者谭天）

左宗棠（1812年—1885年），清末湘军名将，洋务派首领，湖南湘阴人，举人出身。1875年督办新疆军务，率兵讨伐阿古柏，收复乌鲁木齐等地。1881年任军机大臣，调两江总督。中法战争时督办福建军务。著有《左文襄公全集》。

左将军血战玄武门

——民族英雄左宝贵的故事

在我国友好邻邦朝鲜的首都平壤，流传着一个动人的传说，叫作“雨夜左将军七星门外显圣”。左将军就是甲午战争期间我国杰出的回族爱国将领左宝贵。这个故事说，在左宝贵殉国三周年的深夜，秋雨绵绵，凉风习习。有个叫林善华的老人，从朋友家赴宴归来，摸黑踏上了七星门的石头台阶。突然，眼前出现了一个骑着高头白马的中国武将，他高挥着在暗淡星光中仍然发着白光的军刀，向北方走去。朝鲜人民传说，这骑白马的将军就是左宝贵的英灵。爱国将领左宝贵的英雄事迹的确非常感人。

1894 年 7 月，甲午战争爆发。清政府被迫决定与日本侵略军开战，命令左宝贵会同卫汝贵、马玉昆、丰绅阿三将率四支大军开抵朝鲜平壤城，协同朝鲜军民抗击日寇的大举入侵，并任命直隶提督叶志超为赴朝清军总统。9 月 2 日，12000 多日军分路进袭，一路正面进攻，一路偷袭平壤南北两面，还有一路包抄平壤清军后路。左宝贵率领的六个营清军守卫平壤城北的玄武门。忠心爱国的左宝贵很有军事才能，他重视有文化的人和勇敢善战的官兵，在他的教育和训练下，大多数官兵热爱祖国，时刻准备杀敌报国。左宝贵治军有方，有功必奖，有错必责，赢得了大家的爱戴。这次他负责守卫玄武门后，通盘观察了敌我形势，他事先派人详细侦察了日寇的军队部署情况，并绘制成地图。他还把自己的马步六营部队增添到3000多人，同时添置了许多大炮。有一个参观过左宝贵部队的英国人讲："左将军的军队是一支真正的军队，不仅训练精良，而且永远保持着紧张的精神，有命令立即可以出击。"左宝贵反复分析了敌情后，认为防御还不如进攻，只有主动地对日寇进攻，才能挫败敌人的气焰。他根据具体情况，制订了作战计划：我国的四支大军首先集中兵力，攻破敌人的一路军队，然后乘胜各个击破敌人，夺取战争的胜利。这一提议得到了广大爱国官兵的一致赞同，人人摩拳擦掌，准备与日寇决一死战。但是身为赴朝清军总统的叶志超却胆小怕死，一点儿也不懂军事。他遵循李鸿章"可守则守，不可则退"的投降主义路线，根本没有抗击日寇的决心，他唯一拿手的好戏就是谎报"战功"。有一次，他捏造了一个"辉煌战绩"，清政府居然赏赐他白银两万两。这回他听说左宝贵要主动抗击日寇，吓得直摇头，一口拒绝了这个主张，以致丧失了这一有利的战机。

9月14日，日寇三路大军团团包围了平壤城。有些清军将领畏惧城下黑压压的日本军队，竟然主张放弃平壤城，向北边撤退。左宝贵很鄙视这些贪生怕死的人。他气愤地说："我坚决与日寇血战到底，有怕死的人请赶快离开平壤吧！这座城市就是我的坟墓了。"当天晚上，日军架起大炮向平壤城发起轰击。叶志超慌忙召集各军负责人开会，他唉声叹气地说："平壤城墙太不牢固了，粮食又不充足，运粮进城已经不可能了，连水也不够饮用了，我看咱们是不可能坚守的，应该突围北撤，才是上策。"左宝贵一听忽地站了起来，高声说道："祖国养我们这些军人干什么呢？派我们赴朝作战又是干什么呢？今天，咱们刚一碰见敌人，就要逃跑，怎么对得起中朝两国人民呢？我们再也没脸回祖国了。"叶志超根本不想为祖国效力，散会后，他便偷偷地向城外溜去。左宝贵知道叶志超一跑，会大大动摇军心和士气，就急忙赶回自己防守的玄武门。正好碰见溜到城门口的叶志超，为了抗日战争的胜利，左宝贵毅然下令：“把叶志超暂时监押起来，没有我的命令，任何人都不准离开平壤。”

9月15日凌晨，日寇从玄武门外向平壤城猛攻。左宝贵全副武装，沉着地指挥中国军队奋勇抗击敌人。他利用玄武门这个平壤城的制高点，一次又一次地打退了敌人的进攻。平壤城下堆满了敌人的死尸，红了眼的日寇把新式大炮运到玄武门外的山上，用密集的排炮轰毁了玄武门旁边的堡垒牡丹台，增援而来的大批日军像蚂蚁似地涌到城下。左宝贵知道敌强我弱，平壤城即将沦陷。他决心与万恶的日寇血战到底，以死来报效祖国。

他高声喝道：“我左宝贵为家卫国，今日与日寇拼命了!”说罢，从容地换上原来准备回国穿的黄马褂，戴上花翎顶戴，登上玄武门的城楼，以激昂的语言鼓励将士们：“弟兄们，大丈夫建功立业，此其时也!”无所畏惧地指挥爱国战士作最后的抵抗。日寇的喊杀声阵阵传来，炮弹的硝烟把天空都染黑了。左宝贵部下有个叫杨杰的营官，看到敌人的炮弹在主帅身边不断爆炸，担心主帅的安危，便劝左宝贵下城去躲避。左宝贵闻言大怒，一下子把杨杰推开，大步走到炮前，亲手燃放大炮，一连向敌人开了36炮，炸得城下的日寇血肉横飞。部下看见主帅舍生忘死杀敌，万分感动。大家不顾敌人的凶猛攻势，英勇顽强地打击敌人。日寇成片成片地倒了下来，可后续部队又源源不断地开来，战斗更加激烈了。敌人的子弹像飞蝗似地射来，左宝贵腋下中了一枪，腿上中了一弹，血哗哗地流了出来，他连看都不看一眼，撕下一块战袍裹住伤口，又投入了战斗。不幸，敌人又一颗罪恶的子弹击中了他的胸口，他眼里冒着仇恨的火焰，愤怒地盯着城下的敌人，身体晃了几下，又挣扎着打倒了几个敌人。最后他终于倒在了城楼上，以身殉国。左宝贵为了中华民族，为了邻邦朝鲜，流尽了最后一滴血。

后代历史学家评论说：“在甲午战争期间，中国军队中有两位杰出的爱国将领，一位是海军的邓世昌，另一位就是陆军的左宝贵，他们与日寇血战到底的英雄气概永远值得我们纪念。”

（选自《中国近代爱国故事》，樊竟编著）

左宝贵（1837年—1894年），山东费县人，回族。1861年在上海镇压太平军，1889年授广东高州镇总兵，1894年率军赴朝鲜抗日，坚守玄武门，中炮后壮烈牺牲。

刘公岛上的不朽史诗

——海军名将丁汝昌的故事

19世纪90年代中期，中日甲午战争让受尽帝国主义欺侮凌辱的祖国又一次蒙受新的痛苦和灾难。无数优秀的中华儿女迸发出撕肝裂肺的呐喊，愤怒地奔向杀敌的疆场。水师提督丁汝昌，鏖战黄海，负伤不下火线，扼守威海，宁死不降敌顽。当年的“北洋水师提督府”至今还傲然立于刘公岛上，在人们的心中，永远铭刻着爱国将领丁汝昌维护民族尊严、不惜以身殉职的英雄形象。

1880年，丁汝昌奉命去英国接收并且督带订购的“超勇”号和“扬威”号两艘铁甲巡洋舰，穿越万里重洋，驶回中国。这在世界海军史上，是悬挂中国旗帜的近代海军舰只第一次航行海外。

1882年3月，法国交趾支那海军舰队司令李威利率军侵略越南，法国政府总理茹费里无耻地宣称：“必须征服那个巨大的中华帝国。”这年，丁汝昌率领军舰游弋南海，巡查海口，显示了中国人民保卫祖国领土主权、决心抗御外敌侵略的坚定意志。第二年，丁汝昌升任天津镇总兵。

北洋水师在1888年初步建成，正式颁定编制，丁汝昌被委任为北洋水师提督府提督。这时，北洋水师拥有军舰22艘，其中包括两艘7000多吨的铁甲舰、7艘3000吨以下的巡洋舰和其他舰船13艘，还修建了旅顺船坞和威海卫军港，是当时中国最大的一支海军。

在中国近代海军的初创过程中，渴望祖国自强的丁汝昌付出了自己的大部分心血，不愧是一位卓越的开拓者。

1894年1月，朝鲜东学党起义。日本帝国主义妄想实现它称霸世界的美梦，借口“护侨”，入侵朝鲜，觊觎中国。清政府应朝鲜请求，派兵入朝，驻守牙山。7月，日本侵略者在朝鲜公然扶植傀儡政权，并且向驻朝清军实施突然袭击。充满着帝国主义讹诈、暴虐、血腥的中日甲午战争爆发了。在清政府妥协投降思想的支配下，驻朝清军作战不力，一触即溃，战局十分危急。

大敌当前，满腔爱国热情的丁汝昌始终积极主战。1894年9月12日，他率领北洋水师舰艇12艘，护送援军，劈波斩浪，疾驶鸭绿江口的大东沟。到港卸载后，17日正午时分，日本“吉野”号、“西京丸”号等12艘快速军舰，气势汹汹地向中国舰队猛扑过来。坐镇在旗舰“定远”号铁甲舰上的丁汝昌当机立断，命令各舰迎战。顿时，黄海海面战舰奔驰，炮声震天，硝烟翻卷，波涛咆哮。狂啸的炮弹接连在敌人的舰艇上爆炸，“吉野”号甲板穿透，“比睿”号中弹着火，“西京丸”号船舵受创，“赤诚”号舰长被击毙。丁汝昌两眼灼灼有神，英武地挺立在瞭望台上，随时观察战况，研究对策，指挥战斗。

突然，日舰排炮击中“定远”号瞭望台，丁汝昌的衣服着火，刹那间，身体的右部被烧伤，左臂也被弹片击伤，火在燃烧，血在流淌！水兵们奔上前来进行抢救，要将他抬进舰舱。丁汝昌身负重伤，临危不惧，断然拒绝了水兵们的请求。他咬紧牙关，强忍住伤口的剧烈灼痛命刘步蟾代为指挥，他自己则坚持坐在甲板上继续督战。在这血火迸飞、生死搏斗的激战时刻，作为现场的最高指挥者，丁汝昌奋不顾身保卫祖国的壮举，激励和鼓舞着参加这次黄海大战的爱国将士们。“致远”“定远”“镇远”

等舰左冲右突，连连发炮，勇猛拼杀，重创日舰1艘，击伤多艘，迫使骄横不可一世的日本舰队升旗收兵，首先退出了战场。

黄海大战后，日军经过1个多月的休整，1894年10月又卷土重来，分海陆两路进犯旅顺、大连。辽宁的旅顺和山东的威海卫隔海相对，扼守着渤海的门户，是北洋水师的两座重要基地。望敌生畏的李鸿章命令北洋水师撤离旅顺，避往威海卫。丁汝昌眼看国土即将沦丧，心如刀割，耻于临战脱逃。他赶到天津，亲自向李鸿章请战，坚决要求“以海军全力援旅顺，决死战”。李鸿章当场严令丁汝昌“保船避战”，禁止出海巡弋。

有心报国，施展无门，丁汝昌疾首蹙额，万分苦痛。旅顺陷落后，日本侵略军步步紧逼，于1895年1月在山东半岛成山头登陆，包抄威海卫。当侵略军在成山头登陆的时候，丁汝昌主张：舰队尽快出港，主动进击，包抄敌人后路，切断它的供应。李鸿章竟武断地责令丁汝昌不准出战、不准离开威海卫，并明确宣布：如违命出战，虽胜亦罪。投降主义者的高压逼使丁汝昌和他率领的舰队只得困守港湾，坚伏不出。这时，日本联合舰队司令伊东佑亨写信给丁汝昌，劝诱他投降。丁汝昌感到蒙受了奇耻大辱，义形于色地说：“余决不弃报国大义，今唯一死以尽臣职。”他当即将信上交李鸿章，并且坚定表示：“吾身已许国，一定坚持战斗，必至船没人尽而后已。”

1月底，日本侵略军发动攻击，扑向南岸炮台。丁汝昌登舰指挥，发炮支援南岸炮台守军，当场击毙日军少将大寺安纯，狠狠地打击了侵略军的嚣张气焰。虽经苦战，终因寡不敌众，南北两岸炮台先后陷入敌手。

2月初，海军提督衙门的所在地刘公岛被包围。在舰队供职的洋员前来劝降。丁汝昌断然拒绝：“我知事必出此，然我必先死，断不能坐睹此事!”洋员便勾结一些丧魂失魄的民族败类举行武装哗变，鸣枪过市，声称

“向丁提督乞生路”，胁逼丁汝昌率众降敌。大义凛然的丁汝昌愤怒地申斥说：“汝等欲夺汝昌，即速杀之！吾岂吝惜一身？”不祥的噩讯频频传来：陆地援军已经断绝，岛上弹药即将耗尽。情况愈发严重！

1895年2月11日深夜，丁汝昌召集大家开会，提出：“鼓力碰敌船突围出，或幸存数艘，得抵烟台，愈于尽覆于敌。”然而遭到了洋员等的反对。丁汝昌当即下令将“镇远”号等舰艇用水雷击沉，防止资敌。当场受到抵制，竟“无应者”。丁汝昌异常悲愤，感到自己已无能为力。为了避免有人盗印投敌，他严肃、冷静地下达了最后一道命令：速将提督印截角作废。59岁的爱国将领丁汝昌在这关键时刻，决不屈辱而生。当参加会议的人员自动散去后，丁汝昌义愤填膺、百感交集。他无限眷恋地注视着那一片惊涛拍岸、烽火连云的祖国领海，从容地服毒自尽，实现了自己“与舰偕亡”“誓以身殉”的庄重诺言。环绕着刘公岛的斑斓云雾、喧嚣潮汐，似乎是一首永恒的协奏曲，在低沉地吟诵当年丁汝昌无法施展自己爱国抱负的历史悲剧，在高亢地咏叹甲午海战中爱国将士宁死不屈、捍卫祖国海疆的忠烈志节和英雄气概。

（选自《振兴中华的先驱》）

丁汝昌（1836年—1895年），清末海军将领，安徽庐江人。长江水师出身，1888年北洋舰队编成，任海军提督。1894年甲午战争中，与日军进行黄海海战，次年2月于威海卫被日军围攻，力战不胜，拒绝投降，在刘公岛被迫自杀。

“要救国，只能靠我们自己”

——民族英雄徐骧的故事

中日甲午战争失败了，投降卖国的清政府与日本帝国主义签订了丧权辱国的《马关条约》，把祖国的神圣领土台湾割让给了日本侵略者。台湾人民誓死不做亡国奴，于是又发生了台湾人民保卫台湾、反抗日本侵略军占领的起义。在这场斗争中，涌现出了一位惊天动地的民族英雄徐骧。

签订《马关条约》的消息传来时，整个台湾上空天昏地暗、风云变色。台湾人民发觉自己一夜之间忽然变成了亡国奴，即将成为外国侵略者砧板上的鱼肉，无论男女老少，都非常悲愤。他们东一群西一堆地聚集在一起，捶胸顿足、痛哭流涕。有人咒骂日本侵略者贪婪残暴，有人痛恨清政府腐败无能，有人点数条约签订者李鸿章投降卖国的罪行……这时，一处人群中忽地站起了一个彪形大汉，他圆睁大眼，发出惊雷似的声音：“哭哭闹闹有什么用！眼泪流干也不会得到妖魔的怜悯，骂声再大也不能阻挡鬼子的军舰！”人们停了哭声一看，原来是徐骧。人们像在大海中漂流时突然发现了一处岸边，一下子都涌向他，等待着他出主意。

徐骧慷慨激昂地对人们说：“乡亲们！台湾是我们神圣的国土。我们的田园在这里，我们祖宗的坟墓在这里，我们的子子孙孙都生活在这里。台湾被割让，我们的土地就会被人践踏，我们的田园就会被人焚烧，我们的祖坟就会被人挖掘，我们的子子孙孙就会被人杀戮，世世代代做亡国奴……”

“我们誓死不做亡国奴！”人群中爆发出响彻云霄的喊声。

“乡亲们！要救国，清政府是靠不住的，只能靠我们自己！”

“徐大哥！该怎么办，我们听你的。”人们异口同声地说。

徐骧提出组织民团、武装保卫家乡的主张，大家一致支持拥护。一支起义队伍很快就组织起来了。大家公推徐骧做民团团长，在他的指挥下准备随时阻击敌人。

当时，清政府不顾台湾人民和全国人民的抗议，急不可待地同日本办理了交割台湾的手续，台湾巡抚唐景崧亦潜逃回大陆，台北地区已被侵略军占领。台中、台南一带驻军将领刘永福则反抗清政府命令，坚持抵抗。刘永福曾率领黑旗军在越南英勇抗法，到台湾后深得群众们拥护。徐骧率领他的起义队伍同刘永福及各路起义队伍联合抗日。

起义军出师的第一仗，是在安平口配合刘永福阻击日军的登陆舰队。愤怒的起义军英勇奋战，击伤敌人炮舰，把企图登陆的敌人撵回海中，取得了首战胜利。接着，在新竹一仗中，徐骧用计把敌人引入崎岖的山路，生俘敌人 100 多人。他又在大甲溪战役中奇袭渡河中的敌人，杀得敌军积尸断流，河水变赤。在八卦山战役，又居高临下，杀伤了大量敌人……徐骧的名字，像一面胜利的旗帜，使敌人闻风丧胆。

在战场上，徐骧总是冲锋在前，退却在后。人们认为他身为主将，不应冒着危险。他严肃地说：“还有什么比亡国更危险？”有时人们问他家属的情况，他说：“台湾在，我的家在；台湾亡了，还有什么家？”

正当台湾人民同日本侵略军浴血奋战的时候，清政府却干尽了卖国的勾当。他们不但多次拒绝起义军提出的接济弹药粮食要求，而且还丧心病狂地封锁了厦门至台湾的海路，严禁商船运送物资到台湾去。清政府的卖国行径，使起义军陷入了弹尽粮绝的困难处境。与此同时，敌人却不断向台湾增兵。在力量悬殊的情况下，起义军仍空着肚子、抡起大砍刀同敌人肉搏，战斗非常激烈。

台北地区沦陷了，台中地区也沦陷了，最后，起义军只剩下台南城和附近一带的阵地了。有人劝徐骧及早渡海逃回大陆。徐骧发誓说："我生在台湾，长在台湾，死也要死在台湾！"

敌人调王牌军第二师团在台南市附近登陆，兵分三路进攻台南。徐骧亲自率领起义军阻击曾文溪一路日军主力。起义军先在溪北打了一次伏击，杀伤大量敌军后又退到溪南布阵。敌人一次又一次地企图强渡曾文溪，都在半路中被起义军击退，敌人恼羞成怒，立即调集大量火炮隔岸向起义军阵地猛轰。一时间，阵地上沙石横飞、烟尘蔽天，起义军伤亡惨重，情况非常危急。在大炮的掩护下，敌人的骑兵、步兵蜂拥过河，直扑起义军阵地。徐骧看着侵略者嚎叫着冲到眼前，他拔出寒光闪闪的大刀，振臂一呼："同胞们，最后的时刻到了，冲啊！"他首先跃出战壕，数百名高山族战士也高喊着冲向敌群。几百个舍命的战士，就似千百只出山的猛虎。只见刀劈处，敌军头颅滚地；剑起时，敌人血肉横飞。侵略者的气焰被压了下去，鬼哭狼嚎地乱奔乱窜。可是，正在这时，一颗罪恶的炮弹在徐骧身边爆炸了，一块巨大的弹片飞向他的脖子，英雄的头颅落地了。但他手中的大刀仍然指向敌人，好像在指挥着战士们继续战斗，表现出中华民族头可断、志不可屈的英雄气概。

我们的民族英雄虽然牺牲了，但是，他可歌可泣的英雄事迹在台湾人民中间传颂着，激励着他们继续斗争。日本侵略军占领台湾的几十年中，台湾人民不断打着徐骧的旗号，举行武装起义，以英雄为榜样英勇奋战、前赴后继，一直到日本侵略者最后被赶出台湾，台湾重新回到祖国的怀抱为止。

（选自《爱国人物故事选》，作者谭绍鹏）

徐骧（1858年—1895年），清末台湾抗日义军将领，台湾苗栗人。祖籍广东，秀才出身。1895年在家乡组织义军奋起抗日，最后壮烈牺牲。

“万众一心谁敢侮”

——爱国诗人黄遵宪的故事

1882年，黄遵宪担任中国驻美国旧金山总领事。这时，美国统治集团掀起了一股迫害华侨的恶浪。美国议会制定了《限制华工条例》，蛮横地对在美华工和旅美华侨作出了十五条苛刻、敌视的规定。上行下效，美国一小撮种族主义分子乘机兴风作浪，虐待、残杀、迫害华工、华侨的事件接踵而来，旧金山华侨居住的唐人埠更是一小撮歹徒胡作非为的地方。有一次，黄遵宪外出办公时，路上窜出一名暴徒，用手枪威胁黄遵宪说：“你要是胆敢再引华人入境，当以子弹相赠。”黄遵宪怒目而视，讥笑着对他说：“快收起你的枪吧，中国人是不怕死的!”暴徒泄了气，灰溜溜地走了。

美国种族主义分子不肯善罢甘休，他们纠集了几十个流氓、地痞在唐人埠抛砖掷石，扔了许多西瓜皮和臭鸡蛋，并且肆意砸毁、劫掠华侨的店铺。事后，旧金山卫生局的官吏们气势汹汹地闯进唐人埠，“巡视”了一圈后，指着那些流氓扔下的秽物，捂着鼻子，煞有介事地说：“华侨不讲文明、不讲卫生，是野蛮的人种，违反了卫生条例，必须予以拘捕罚款。”他们蛮不讲理，逮捕了许多华侨，把监牢塞得满满的。

黄遵宪听到这个消息后，连饭也顾不上吃，就带着随员一路小跑来到了监狱。走进那阴森可怕的牢门，一股股腥臊的气味扑鼻透脑，令人作呕，牢中的臭虫、老鼠遍地乱爬。那些受侮辱的侨胞们带着期待的目光注视着黄遵宪。黄遵宪两眼满含泪水，心想：“祖国啊，正因为你太贫太弱，这些洋人才敢于欺辱你的海外儿女哟……”他知道和这些家伙讲理是毫无用处的，只有智斗才能击败他们。于是，黄遵宪在牢中沉着地踱着步，一面观察，一面思考着对策。他先叫随员度量了囚室的面积，然后把美国官吏找来，他用手指着那肮脏不堪的牢房，义正词严地说：“尊贵的先生们，请问这里的卫生条件难道比华侨的居住区更好吗？是否也应该把诸位拘捕起来呢？”那几个用手帕捂着鼻子的美国官吏理屈词穷、张口结舌，一句话也说不出来。接着，黄遵宪不辞辛苦地奔走了许多“衙门”，据理力争，终于迫使美方释放了全部无辜的华侨。黄遵宪的这一爱国壮举在美国引起了轰动，排斥华侨的风潮逐渐有所收敛。从此，黄遵宪保护华侨、智斗洋人的事迹，在美国华侨中广泛流传。

1894年，穷凶极恶的日本侵略者对中国发动战争，这就是历史上的中日甲午战争。战争打响后，腐败的清政府执行投降卖国的外交方针，致使中国军队节节败退。虽然广大士兵和一部分爱国将领进行了英勇反抗，但是仍然不能挽救整个战局。

当时黄遵宪正在新加坡养病。他身患痼疾，身体非常虚弱，但是炽热的爱国激情使他不能安卧病榻。他密切注视着局势的发展，写下了《悲平壤》《东沟行》《哀旅顺》《哭威海》等一系列催人泪下的爱国诗篇，并在《度辽将军歌》一诗中鞭笞了贪生怕死的清军将领吴大澂。甲午战争以中国战败而结束，日本侵略者乘机要挟恫吓清政府，敲诈勒索，要在我国风景如画的苏州划定日本专管租界。清政府里一群饱食终日、畏敌如虎的官僚，谁也不敢出面与日寇打交道。黄遵宪听闻这个消息后，毅然抱病上朝，挺身而出，担负起与日本谈判的重任。

在谈判桌上，黄遵宪大义凛然，没有丝毫奴颜媚骨。他首先指责日方仗势欺人、贪得无厌的恃强行径，接着痛斥了日方强租中国内地的霸道行为。面对黄遵宪义正词严的据理申述，日方代表珍田舍已窘迫不堪，不时揩着额头沁出的冷汗。黄遵宪不卑不亢地说："中日两国一衣带水，自古以来就友好往来。几十年以前，两国同样被西方列强欺侮，虽然明治维新之后，你们日本强盛了，但怎能又回过头来侵犯别人呢？假如中国强大了，渡海进攻日本，贵国作何感想呢？"珍田舍已脸上青一阵、白一阵，其他日方人员也瞠目结舌、面面相觑。黄遵宪正襟危坐，堂堂正正地说："中国的领土是不会让他人随意宰割的，贵国如若贪得无厌，由此引起的后果由贵国负责。请诸位三思。"珍田舍已一行自知辩不过黄遵宪，只好单方面宣布中止谈判，然后报告日本政府。日本统治集团恼羞成怒，撤回了日方代表，向清政府提出所谓的"强烈抗议"。清政府不顾国家安危、民族尊严，向日本侵略者屈膝，不仅不支持黄遵宪的正义行为，反而严令调回黄遵宪。1895 年 4 月，清政府与日本签订了丧权辱国的《马关条约》，祖国富饶美丽的宝岛——台湾，也就在这时被日寇强占。签约时，黄遵宪正和几个朋友在武昌黄鹤楼游览，当他听到这个消息时，好似五雷轰顶，悲恸得说不出一句话来。他俯瞰着浩浩荡荡的长江水，泪水涌流，模糊了双眼。他当场挥毫写下了一首爱国诗篇——《台湾行》，表达了他的悲愤心情。诗中说："城头逢逢雷大鼓，苍天苍天泪如雨，倭人竟割台湾去。""天胡弃我天何怒？取我脂膏供仇虏。眈眈无厌彼硕鼠，民则何辜罹此苦。"他还在诗中疾呼："人人效死誓死拒，万众一心谁敢侮？"

黄遵宪还是一位杰出的爱国诗人，著有诗集《人境庐诗草》。他的诗系统地记述了近代中国的许多重大历史事件，除了上面提到的反映中日甲

午战争的诗篇外，著名的诗篇还有歌颂中法战争中抗法英雄冯子材的《冯将军歌》，揭露帝国主义野蛮侵略和清政府屈膝投降的《书愤》，反映沙俄侵略我国东北的《夜起》等。他的这些带着热烈情感的诗，揭露了清政府、清军将领在帝国主义面前妥协投降的丑态，抒发了对顽固派阻挠和镇压维新运动的愤懑，表现出强烈的鲜明的爱国主义思想。因此，他的诗被人称为“诗史”，多少年来感染、鼓舞着广大读者，在近代诗歌史上闪耀着夺目的光辉。

（选自《中国近代爱国故事》，樊竟编著）

黄遵宪（1848年—1905年），清末诗人，字公度，广东嘉应州（今梅州）人。光绪举人，历任驻日、英参赞及旧金山、新加坡总领事，后参加戊戌变法。其前期诗歌作品多具反帝爱国思想。著有《人境庐诗草》等。

后 记

中共中央印发的《爱国主义教育实施纲要》指出："进行爱国主义教育必须加强典型宣传，发挥榜样的示范作用。中国历史上涌现过无数的著名爱国者、民族英雄、革命先烈、杰出人物，新中国成立以后又涌现出了许许多多的英雄模范人物，各种新闻传播媒介要经常对他们进行宣传介绍。"党的十八大以来，习近平总书记多次论述进行爱国主义教育的重要性，并特别强调要在广大青少年中开展深入、持久、生动的爱国主义宣传教育。

现在奉献给读者的这本书，旨在贯彻落实党中央和习总书记的指示精神，为广大青少年朋友们提供一本爱国主义题材的优秀课外读物，为广大教师提供一本对学生进行爱国主义教育的生动教材。

本书在广西教育出版社 20 世纪 90 年代版的基础上重新编辑，内容作了适当调整和补充。为了便于阅读，由原来的单册改为上、中、下三册出版。本书共收入了古往今来百余名著名人物的爱国故事，均选自国内已正式出版的图书和报刊。为使全书在体例上基本一致，我们在选编时对多数原文的题目作了改动，对一些文章的内容作了校正和适当删减，在此特作说明。

本书的编辑出版，应首先感谢撰写原文的众多作者，是他们原已付出的辛勤劳动和取得的成果，为我们的选编工作提供了极为丰富的内容和资料。但是中国古今名人的爱国故事很多，而本书的容量却有限，我们只能在已经收集到的篇目中，有所取舍，忍痛割爱，致使不少精彩生动的名人爱国故事未能编入，深感遗憾。

著名书法家、教育家欧阳中石先生为本书题写书名，著名科学家、教育家、全国人大常委会原副委员长严济慈先生生前为本书题词。本书得以重新编辑出版，我们应该首先感谢中国文字著作权协会总干事张洪波先生的热情推荐，感谢黑龙江少年儿童出版社社长张立新先生的大力支持，感谢为本书编辑出版付出辛劳的同志们！在此，我们还要特别感谢老领导、原国家教委副主任柳斌同志，不辞辛苦，欣然为本书撰写序言。这充分体现了老教育家对爱国主义教育的高度重视，以及对广大青少年思想政治教育的亲切关怀。

参加本书选编和整理资料工作的，还有刘堂江、黄海春、田菊影、陈晓梅等同志。由于水平有限，如有错误与不妥之处，恳请亲爱的读者朋友们指正。

韩其洲

2016 年 6 月 12 日